STUDIEN UND VERSUCHE

Eine anthroposophische Schriftenreihe

14

Hausmann



from Anneliese
2nd Feb. 1986

IDA STÜMCKE / GÉRARD KLOCKENBRING

# DER IMPULS VON LÉRINS

*Spuren eines johanneischen Christentums*
*im 4. Jahrhundert*

VERLAG FREIES GEISTESLEBEN

Der Beitrag von Ida Stümcke ist unter dem Titel »Eine vergessene christlich-johanneische Strömung in Europa« in der Zeitschrift »Die Christengemeinschaft« 33 (1961), Heft 8 und 9, erschienen.


Gesamtherstellung Greiserdruck Rastatt
ISBN 3 7725 0044 7

## *Inhalt*

# *Vorwort*

Für alle, die Ida Stümcke während ihres Erdenwirkens näher gekannt haben, war es seit der Veröffentlichung ihrer Untersuchung zum Impuls von Lérins in der Zeitschrift «Die Christengemeinschaft» (1961, 8/9) ein immer wieder ausgesprochenes Bedürfnis, daß diese einzige schriftliche Äußerung ihres wissenschaftlich und künstlerisch inspirierten Geistes in Buchform neu vorgelegt werden möge. Ihre Studien, zuletzt betrieben in Hegne, oberhalb der Insel Reichenau am Bodensee, verbanden immer weit ausgreifende Perspektiven der Geistesgeschichte – insbesondere des esoterischen Christentums in Nordeuropa. Aufenthalte in Frankreich führten ihre Aufmerksamkeit in jene Gebiete der Bretagne u. a., wo sich die nordwestliche Strömung des Christentums mit der vom Südosten kommenden berührte. Sie suchte von immer neuen Ausgangspunkten die «Nahtstellen», welche Organe bildeten für die kulturelle Befruchtung aus zum Teil auch sehr gegensätzlichen Schicksalsverläufen heraus. Hindurchblickend durch solche geographischen Orte, die zugleich spirituelle Brennpunkte waren, gewahrte sie den großen Schritt durch die Zeit, der in der Gegenwart mündet.

Zwei Inseln wären besonders zu nennen – schon in der äußeren Gestaltung einander ähnlich –, die in diesem Sinne als Orte zugleich «Organ» sind: Iona und Reichenau. Eine dritte erschließt neu die hier wieder vorliegende Arbeit: Lérins. Hauptziele einer Reise nach Griechenland im Jahre 1929 waren die Apollo-Insel Delos und die Johannes-Insel Patmos. Sie zeichneten bildhaft die innerste Lebensfrage von Ida Stümcke auf: die Verbindung zwischen der urkeltischen, später christlich-iroschottischen, apollinisch-griechischen Nordsüd-Strömung und der von Osten nach Westen getragenen johanneischen Strömung zu suchen. Im südlichen Gallien der ersten christlichen Jahrhunderte durchdringt sich beides. Der modern-faustische Freiheitsimpuls jener Christen, die Rom trotzten, war ihr wesensverwandt. Der zentralen Gestalt jener Freiheitskämpfe, Martin von Tours, galten ihre historischen Studien. Leider konnte diese Arbeit nicht mehr abgeschlossen werden. – Während der letzten zehn Lebensjahre, als sie krankheitshalber den Priesterberuf nicht mehr voll ausüben konnte, schaute sie am Bodensee täglich hinüber auf die Insel Reichenau, diesem Zentrum der iroschottischen Mission. Vor dem inneren Auge stand das Dreigestirn dieser Inseln, auf denen dereinst ein romfreies Christentum gepflegt wurde: Reichenau – Iona – Lérins. Eine weitere Insel sei in diesem Zusammenhang erwähnt, die heute als solche nicht mehr erkennbar ist: Ravenna. Alle diese Stätten stehen geistesgeschichtlich in vielfältigen Verbindungen. Ida Stümcke wußte, daß die Zukunft erneut solcher Stätten des Geistes bedarf.

Ida Stümcke wurde am 30. Januar 1892 in einer Kleinstadt nahe bei Bremen als Tochter des Apothekers geboren. Auf rötlichen Steinplatten, die für Fußwege bestimmt waren, meißelt das hochbegabte Mädchen die ersten Halbreliefs. Schon die Sechzehnjährige geht nach Paris der französischen Sprache wegen und um griechische Plastiken im Original zu sehen. In der Bretagne gewinnt sie die ersten tiefen Eindrücke vom Keltentum, welche ihre späteren Arbeiten bestimmten. – Ida Stümcke studierte an den staatlichen Kunstschulen in Berlin und München Bildhauerei. Besondere Begabung und Liebe zeigt sie für Tierplastiken. In Berlin wird ihr von der staatlichen Kunstschule ein eigenes Meisteratelier zur Verfügung gestellt. In München arbeitet sie frei bei verschiedenen Lehrern; daneben hört sie an der Universität Vorlesungen in Kunstgeschichte und Anatomie. – Der Anthroposophie begegnet sie durch einzelne Menschen in Bremen und Berlin – unter anderem im Hause des bekannten Prähistorikers Schuchhardt. In Bremen hört sie einen Vortrag von Rudolf Steiner. 1926 fällt sie die Entscheidung für den Priesterberuf und wirkt von 1927 bis 1955 als Pfarrer in der Gemeinde der Christengemeinschaft in Bremen. Als sie sich im Jahre 1955 von diesen Aufgaben zurückziehen mußte, widmete sie sich Studien zur Geistesgeschichte der oben genannten, rom-unabhängigen Strömungen des Christentums. Einen Teil dieser Arbeiten gibt die Niederschrift über Lérins wieder.

Der französische Forscher Déodat Roché, bekannt als gründlicher Kenner dieser historischen Zusammenhänge, denen er seine Lebensarbeit widmete, druckte mit anerkennenden Bemerkungen den Aufsatz über Lérins in seinen «Cahiers d'Etudes Kathares» (1961, Nr. 11) ab.

Wilhelm Kelber – als Kenner der betrachteten Epoche – begrüßte besonders herzlich die kleine Studie. Er konnte deren Gewicht ermessen. Aus einem Brief von ihm, geschrieben am 22. Januar 1961, seien diese Sätze mitgeteilt:

«. . . Studien über die irische Kirche hatten mich schon auf Lerinum gebracht. Ich wußte, daß von dorther das Griechische samt Origenes und Dionysius Areopagita nach Irland gekommen waren. Ich hatte schon einen unserer französischen Mitarbeiter gebeten, weiter über Lerinum zu forschen. . . . Nun kommen Sie und geben mir das fehlende Zwischenglied. Cassian ein Schüler von Joh. Chrysostomus und dieser der Lieblingsschüler vom Origines! Nun verraten Sie mir nur: Wie sind Sie darauf gekommen, über die altgallische Kirche zu arbeiten? Das würde mich brennend interessieren. . . . Darüber will ich aber nicht versäumen, auch Ihrer fleißigen und genauen Arbeit alle meine Achtung auszusprechen. – Wenn Sie Zeit haben, notieren Sie mir auf einem Zettel die von Ihnen benutzte Literatur. Welche Cassian-Übersetzung? Welche Quellen über Lerinum? . . . Jetzt sehe ich, daß der Fortgang der frühchristlichen Strömung ein ganz anderer war: um Rom herum über Lerinum und Südfrankreich nach Irland. Ich ahnte es wohl, aber jetzt haben Sie diesen Faden aufgedeckt. Sind Sie nicht auch auf den Hl. Martin von Tours gestoßen? Er war wohl eine Zeitlang eine Art Angelpunkt zwischen Lerinum und Irland. . . .»

Ida Stümcke antwortete auf die Frage von Wilhelm Kelber am 27. Januar 1961. Der Brief gibt neben Spuren zum eigenen Lebensgang besonders solche aus dem Arbeitsgang zum Thema. Das Fragmenthafte der Briefäußerung bietet gleichwohl zahlreiche Anregungen für den, der sich auf ähnlichen Bahnen zu bewegen vornimmt. Daher seien aus diesem Brief ausführlichere Abschnitte mitgeteilt; sie sind «sprechend» für den zugleich humorvollen und intensiven Stil der Persönlichkeit von Ida Stümcke.

«. . . Woher des Wegs und warum ausgerechnet nach Lerinum? Ich meine, dieser Leriner Fund ist vielleicht das wichtigste, was innerhalb ‹unseres Kreises› in den letzten Jahren geschah! Das gibt ja ganz neue Perspektiven. Ich meine das ganz nüchtern objektiv, ohne ein Eigenlob. Auf Ihre Frage: Woher des Wegs? muß ich wohl ein wenig weiter ausholen, wenn ich für Sie meine ‹geologischen Schichten› anschneiden soll. Also mit dem Keltischen bin ich wohl ‹urverwandt›. Geburtsort: Kleinstadt an der Weser, nahe Bremen (* 1892). Mit 15 Jahren Urlaub für ein halbes Jahr aus der letzten Lyceumsklasse – so was war früher noch möglich – nach Paris, um dort ein Sprachexamen zu machen. Die Zeit in Paris: ein Traum; intensives Schnuppern an der Sorbonne. Nach dem Sprachexamen Ferienfahrt nordwärts in die Bretagne – warum? Ich will jetzt nur auf diese Linie schauen, die in die keltische Welt führte. Was sonst noch in Paris begründet wurde, was dann, an die Schulzeit anschließend, zu einer jahrelangen Bildhauerarbeit führte und mit einer etwas abenteuerlichen Fahrt nach Griechenland (Delos – Patmos) abschloß; mit Patmos wieder in die ‹Urlinie› einmündete (das alles gehört nicht hierher, auch nicht eine soziale Linie). Also zurück: tiefe Eindrücke der keltischen Landschaft, der Dolmen, Alignements etc. Dort auch die Begegnung mit einem alten, hellsichtigen Einsiedler, der wohl da oben eine alte keltische Inkarnation ausstopfte; der mir vielleicht half, später unmittelbar die Anthroposophie aufnehmen zu können. – Weiter Sprung in die Gemeindearbeit in Bremen und außer der Gemeindearbeit persönliche Studien des Keltischen (das damals noch nicht modern war). Dokumente schwer zu finden. Pflege der keltischen pentatonischen Musik. Die Fünf-Ton-Skala – die zwei Töne, die in die Enge führen, fehlen noch –: also Paradieses-Nachklang (Notenmaterial durch Frl. v. Hodenberg). Das alles führt dann später zum Aufnehmen der spirituellen Doldinger-Musik. Die Nahtstelle von der keltischen Kultur und dem Erscheinen der Culdeer wird gesucht. Die Frage: Durch welche Schicksalsfäden kommt das

Christentum nach Irland, zum Norden? (Natürlich bleibt durch Rudolf Steiner bestehen, daß in Irland die Ereignisse von Palästina geistig erlebt werden, während sie historisch im Süden geschahen. Trotzdem: Müssen nicht alle Geistesereignisse auch im Bereich menschlicher Schicksale sich spiegeln?) Aus welchen Zusammenhängen kommen Patrick – Germanus von Auxerre? Der Kreis um Martin v. Tours – das Loire-Zentrum? Da aber stößt man an den einen Block: Hilarius von Poitiers, den Lehrer oder Freund des Martin. Da saß ich fest (kreise noch immer um dieses Zentrum).

Andere Frage, nun ‹rückläufig›: Welche Kräfte nehmen die vom Norden kommende irische Mission auf? Das blieb offen. – Nun persönlich eingeschaltet: 1955 war es mit meinen Lebenskräften aus; ich suchte auf ärztlichen Rat Höhe und wärmeres Klima. Warum dann Bodensee –: ‹ik wet dat nich› – kurz, ich befand mich eines Tages gegenüber der Reichenau. Nun wurde die Geschichte der Insel studiert. Viel Material, aber katholisch entstellt. Neue Erfahrungen. Aber es ging weiter – und vielleicht ist dies alles überhaupt der Sinn dieser Zeit hier am See. Der weitere Weg: Studium der sogenannten ‹Gebetsverbrüderungen›, Verbindung der Klöster untereinander, Namen, Bibliotheksverzeichnisse der Klöster. ... Suche nach den ältesten Klostergründungen, z.B. St. Maurice im Wallis: hochinteressant durch die Verbindung von columbanischer und benediktinischer Regel. Dort stieß ich zuerst auf Cassian, und das brach dann das Tor für Lérins auf. Material, Literatur über Lérins: ein dickes lateinisches Werk von dem Mönch Barralis aus dem 16. Jahrhundert. Ich benutzte hauptsächlich die französische Übersetzung der wichtigsten (frühen) Teile des Barraliswerkes durch H. Moris, dem fleißigen Bibliothekar einer südfranzösischen Universität. Eine 2. Chronik der Insel Lérins und der Äbte von Lérins, um 1300 veröffentlicht, von einem Troubadour Raymond Féraut, ein Riesenwerk in Versen (provençalisch geschrieben). Wichtig war mir die Verbindung von Lérins mit der Strömung des Minnesanges. Darum habe ich am Schluß des Aufsatzes die Minnesänger erwähnt. Ja, es brach dann Stück um Stück auf: Cassian, Bruchstücke aus den Werken des Faustus v. Riéz, Vincenz von Lérins, Gennadius ... Die Verbindung mit der irischen Mission wurde gefunden.

Schöne Funde! Wenn z. B. Vincenz von Lérins sein Werk ‹Commonitorium› (sein einziges) unter dem Namen Peregrinus (lat. Fremdling, Wanderer) veröffentlichte – später die Bezeichnung für die irischen Mönche, die gang und gebe ‹peregrini› war, – so sind das schöne Zeichen. Dann Legendensammlungen: Über den Beginn der johanneischen Mission durch die Lazarusschwestern gibt es eine reiche französische Literatur. Ich mußte die Legende aufnehmen, weil in der ganzen Entwicklung der Wirbel um Augustin einen ganz anderen weltweiten Hintergrund ergab. Man hätte natürlich auch anders vorgehen können und die Frage stellen: Wenn den Jüngern, also damit auch dem Johannes, der Missionsauftrag gegeben wurde, wohin mußte Johannes sich wenden wollen? Doch nur zum Norden, in die weiterschreitende Bewußtseinsentwicklung. Und getragen konnte seine Mission doch nur von griechischer Gedankenart und griechischen Gedankenkräften sein. Marseille (griechisch Massalia) war nördlichste griechische Siedlung, phokäische Siedlung – also aus Kleinasien, aus der Nähe von Ephesus kommend[1]. Und die johanneische Mission beginnt dort, wo ein Diana-Tempel stand. Hören Sie den Ton? Drum ging ich den Weg der Legende! (Außerdem ernährt er die Lesenden). –

Dies alles, gut durcheinander geschüttelt, zur Frage nach dem persönlichen Weg hin nach Lérins. Oder, um es noch einmal ganz kurz zu sagen, jetzt ganz ohne Beurteilung oder Namensnennung gesagt: Ich mußte seit einigen Jahren Entwicklungen . . . sehen, die mir völlig fremd waren. Da habe ich immer mehr Ausschau gehalten nach dem johanneischen Element, dem es in Vergangenheit (und Gegenwart) um die Freiheit des Geistes geht . . . Noch eines: Sollte man nicht jetzt auch intensiv die östlich-christliche Strömung suchen? Von Kleinasien (dem Schwarzen Meer) aus über den Balkan – Pannonien – Donau. Severin, Martin v. Tours stammen aus Pannonien. (‹Noricum› von Ignaz Zibermayr) –

1 Phokäa war eine griechische Siedlung an der Küste Kleinasiens, etwas nördlich von Ephesos. Die Phokier kamen aus Phokis, einer Landschaft in Mittelgriechenland, mit Parnass und Delphi. Die Phöniker waren dagegen Asiaten, Gründer der meisten Kolonien im westlichen Mittelmeer. Doch Massalia (Marseille) ist phokisch-griechisch, Ausgangspunkt der hohen Griechenkultur im vorchristlichen und frühchristlichen Südgallien.

Cyrill und Methodius. Dann das Begegnen von Ost und West in den Bogomilen. Alles um Rom herum!

Für den Osten käme ich nicht in Frage – ich halte es mit Goethes ‹Budenfrau›, die dem Honorio sagt: ‹Du schaust nach Abend, du tust wohl daran. Dort gibt's viel zu tun. Eile nur, säume nicht!›»

Der Studie von Ida Stümcke verbindet sich eine Arbeit, die durch sie angeregt wurde. Gérard Klockenbring sucht darin etwas von dem Hintergrund jener großen Fragen aus der Frühzeit des Christentums – besonders des 4. Jahrhunderts – zu erschließen, die, wie Ida Stümcke schreibt, «aus der ganzen Entwicklung den Wirbel um Augustinus», d. h. einen «ganz anderen weltweiten Hintergrund» ergeben. Ida Stümcke nahm diesen Aspekt lediglich durch die Legende zur Mission der Lazarus-Schwestern auf und verzichtete bewußt auf Ausführlichkeit hinsichtlich der Wirbelstraße von Grundfragen, die aus dem Südosten auf den Nordwesten Europas damals zukamen. Die gewaltige Spannung zwischen der südöstlichen Anschauung, die aus früheren Mysterien ein Gefühl für die göttliche Transzendenz bewahrt hatte, und der nordwestlichen, die besonders das dramatische Element des Menschheitsschicksals hervorhob, spitzte sich – vergröbernd zusammengefaßt – zu der tragischen Spaltung zwischen den Vertretern der Göttlichkeit und denen der Menschlichkeit des Christus-Jesus zu – und der Unmöglichkeit, eine Vermittlung zwischen beiden Polen denkend zu vollziehen. Dieses bewirkte auch eine tiefe Ratlosigkeit in bezug auf die Bestimmung des Menschen selbst, seine Freiheit: die Fähigkeit, auf sein Schicksal einzuwirken. Auch hier standen in schroffem Gegensatz zueinander die Ansicht des Augustinus, der den Begriff der absoluten Allmacht Gottes bewahren wollte, und diejenige des Pelagius, der an die freie Zusammenwirkung des Menschen mit dem göttlichen Willen festhielt. An diesem Brennpunkt frühchristlicher Fragestellungen wollten die Mönche von Lérins vermitteln; mit äußerster Energie rangen sie nach entsprechenden lebendigen Begriffen. Daß sie zum Schweigen verurteilt wurden, verhinderte nicht, daß ihre Lehre – wenn auch nicht zugegebenerweise – in die Anschauung der gesamten Christenheit einzog. Sie eröffneten aber zugleich für viele Menschen die Suche nach einem erlebbaren, esoterischen Christentum. Diese Seite ihrer Bedeutung hat bis heute ihre Aktualität nicht verloren.

Beide Betrachtungen ergeben für den Leser ein sich ergänzendes Ganzes, das die Entfaltung des geistig ringenden Christentums erhellen kann – mit dem Ziel, im 20. Jahrhundert den weiteren Schritt aus diesen Entwicklungen zu vollziehen.

*Heten Wilkens*

GÉRARD KLOCKENBRING

# Grundfragen des Christentums im 4. Jahrhundert

Um die Bedeutsamkeit und Tragweite der Studien Ida Stümckes «Vom Ursprung des johanneischen Christentums in Südgallien» hervorzuheben, muß etwas weiter ausgeholt werden. Es muß zum Bewußtsein gebracht werden, welch tiefe Umschmelzung aller Werte und Daseinsgrundlagen im Laufe des 4. Jahrhunderts unserer Zeitrechnung vor sich gegangen war. Damals geschah eine der allertiefsten Metamorphosen der Bewußtseinsentwicklung des Menschengeschlechts. Man kann sie derjenigen vergleichen, die innerhalb einer Einzelbiographie um das 30. Lebensjahr eintritt. Nachdem die Leibes- und Seelenhüllen individualisiert und ausgebildet sind, wird das Ich fähig, selbstverantwortlich in diesen Hüllen und mit ihnen zu wirken. Ein ganz bestimmtes Erlebnis ist, ob bewußt oder unterbewußt, damit verbunden: eine Begegnung und die daraus entstehende fortwährende Beziehung mit dem Tode, wie er sich im Innersten ankündigt. Aus dieser Begegnung können sich die höheren geistigen Kräfte des Wesens gebären und heranbilden.

Es ist das Besondere des Johannes-Impulses, daß er diese Beziehung zum Todeserlebnis um des «Ewigen Lebens» willen zentral mitenthält. Schon beim Täufer, der das Schicksal darlebt, klingt dieses Motiv an: «Er muß wachsen, ich muß abnehmen.» Noch wesenhafter tritt dies bei Lazarus, den der Herr liebte, entgegen, der durch den Tod geht, um als Zeuge auferweckt zu werden, und der, zum «Johannes» geworden, in der Apokalypse das «Stirb und Werde» an sich und an der Menschheit durchlebte. Die Herzensverbindung mit dem Christus hat das Verhältnis zum Tod von Grund auf verwandelt. Der Tod, der Vernichter, wird zum Offenbarer.

Diese Erfahrung zeichnet die ersten christlichen Jahrhunderte aus. Sie verklärt das Leben mit höherem Geistinhalt, sie beflügelt die Begeisterung und vermittelt eine noch nicht gekannte Freiheit zu sich selbst: bis in das Erleiden von Folterungen und Martyrium.

Mit dem Beginn des 4. Jahrhunderts entfaltete sich für das allgemeine Bewußtsein die Bemühung um ein Verständnis dieser Erfahrung, die vorher mehr vereinzelt aufgetreten war. Sie ergriff die breite Menge der Christen. Sowohl der heilige Einsiedler Antonius, der seine thebaischen Berge verläßt, um in Alexandria die Bevölkerung über die Lehren des Athanasius und des Arius zu unterrichten, als auch Basilius, der in Cäsarea in Kappadokien eine Stadt errichten läßt, um die Armen, die Kranken, die Zugezogenen zu beherbergen und zu pflegen, und Johannes Chrysostomos, der in Antiochia und später in Konstantinopel seine Gemeinde täglich belehrt, auch befragt über alle wichtigen Ereignisse, die vorfallen: Sie alle zeigen, daß ein neuer Zug des Persönlichen und des Verstehenwollens bemerkbar geworden ist, der bis in die breiten Volksschichten dringt.

Im Zusammenhang damit steht der Umstand, daß das Christentum binnen weniger Jahre von einer verfolgten oder gerade eben tolerierten zur staatlich bevorzugten, ja sogar staatlich vorgeschriebenen Religion wurde. Der Einfluß der gewaltigen Persönlichkeit des Kaisers Konstantin ist in jeder Hinsicht unverkennbar. Das Ich mit all seinen Dramen und Fragwürdigkeiten zieht mächtig ein und setzt sich mit dem Dasein überhaupt auseinander, mit dem Leben der Menschheit und dem eigenen Schicksal.

Diese umfassenden Daseinsfragen wurden in der vorchristlichen Zeit durch Offenbarung beantwortet. Entweder durch die Sprache der mythischen Bilder der Tradition oder durch die Einweihungsprozeduren der Mysterien. Aus diesen Quellen schöpften die monotheistische Weisheit des Judentums und die kosmische Schau des Hellenismus ihre umfassenden Inhalte. Beide konnten Aufschluß geben über das Verhältnis des Menschen zu der göttlichen Macht des Weltalls und über die konkrete

Eingliederung seines Wesens in die höheren Ordnungen. Das Mysterium von Golgatha hatte den Schleier vor dem Allerheiligsten im Tempel zerrissen; es hatte aber auch die Erweckung aus dem Todesschlaf vor aller Augen vollzogen. Dadurch war an Stelle der Uroffenbarung ein neuer, menschlich persönlicher Weg zur Geistessphäre gebahnt, den die ersten Bekenner durch die Kraft des erwachenden Herzensvertrauens, der Wesenshingabe fanden.

Allmählich machte sich das Bedürfnis nach Verständnis geltend. Theologisch-philosophische Schriftspekulationen einerseits und imaginative Bilder- und Begriffsassoziationen andererseits versuchten die neuen menschlich-individuell erreichten Geisteserfahrungen in Einklang zu bringen mit den Überlieferungen der gleichsam kosmisch erhaltenen Offenbarungen. Was zunächst auf der Ebene des Lebens durchstanden werden mußte, wiederholte sich nun auf der Ebene des Verstehens. Auch hier mußte ein Tod, eine Verdorrung durchgemacht werden. Dieser Prozeß setzte im 4. Jahrhundert ein. Die Kämpfe um den Arianismus, wo es um das Verhältnis Vater-Sohn ging, um den Nestorianismus, der um das Göttliche und Menschliche in Jesus rang, um den Pelagianismus, der die Frage nach der menschlichen Freiheit aufwarf, sind der Ausdruck des verzweifelten Ringens um Begriffe, die in geistgemäßer Lebendigkeit, aber auch in individualisierter Schärfe sowohl der Weltweite als auch der persönlich-ichhaften Bedeutung des Ereignisses gerecht werden könnten.

*Die Apostel*

In der ersten Generation hatten *Johannes*, der Apokalyptiker und Evangelist, und *Paulus*, der Apostel Europas, die ersten Schritte auf dem Wege der Begegnung zwischen dem Menschenbewußtsein und der Weltentatsache des Mysteriums von Golgatha gewiesen; Johannes durch die Bildung des Begriffs vom Logos als weltschöpferischer Gottesmacht, als Ich, Gottes-Sohn und Menschen-Sohn zugleich, Paulus durch die Darstellung der anthropologischen Wirkungen des Heilsprozesses: erster, gefallener Adam, zweiter, schuldloser Adam, durch den die Lebensarznei dem ersten gerecht gemacht wurde, – Todesschlaf und Geisterweckung der Menschheit durch die Tat Christi, Bildung eines neuen, «inwendigen»

Menschen, der Anlage zur Entfaltung einer Auferstehungsleiblichkeit. Diese ersten Schritte gaben durch die Jahrhunderte Anlaß zu zahlreichen, spekulativ-theologischen Aus- und Umdeutungen.

Die bedeutendsten Geister konnten sie aber auch nachvollziehen und dadurch für die weitere Entwicklung der entsprechenden Verständnisfähigkeiten in der Menschheit wesentliche Hilfen geben.

*Origenes*

Im 3. Jahrhundert waren dies *Origenes* (184–253) und *Mani* (216–277). Beide hatten noch in einer gewissen Weise Anteil an dem, was wir «Offenbarung» nannten, aber sie suchten es in verständiger Sprache mitzuteilen. Johannes und Paulus wurden durch den Christus selber in die höheren Welten eingeweiht. Von Origenes lassen uns nur sein Name (Horus-Geborener) und Einzelheiten seiner Lehre (dreifacher Sinn der Schrift, Ewige Zeugung des Logos, seine Geburt in der Menschenseele) auf eine Verwandtschaft mit der ägyptischen Initiation schließen. Seine Gedankenart ist aber so durchgreifend biblisch durchdrungen und sowohl mit den Begriffen des Paulus als denen des Johannes vertraut, daß man eindeutig wahrnehmen kann, wie er seinen christlichen Weg selbst gegangen ist. Mani wurde mit 24 Jahren durch ein Erlebnis erleuchtet, das dem des Paulus vor Damaskus nicht ganz unähnlich ist. Sein menschheitlicher, künstlerisch-therapeutischer und sozialer Impuls zeugt von tiefer Durchchristung seines Wesens.

Hier seien nur die wesentlichen Züge, die einen Eingang in die Sache eröffnen können, kurz angedeutet. Origenes geht den menschenkundlichen Weg. Er unterscheidet im Menschen eine Kraft, die nicht eigentlich ein Wesensglied ist, sondern die Wesenheit, welche die ganze Menschennatur lenkt, nicht von außen, sondern aus ihrer Mitte selbst, das Hegemonikon. Diese innere Führerkraft kann sich durchdringen mit dem Logos, dem Welten-Sinn überhaupt. Sie selber, die auch Eigenvollmacht – Autexusia – genannt wird, ist das Wahrnehmungsorgan für das Göttliche. Erblickt sie die Gestalt des Jesus, nimmt sie sie wirklich wahr – durch Aisthesis – , so geschieht in der Seele die Geburt des Christus-Wesens als ein Keimprozeß. Dadurch wird die Sonnenwirkung erlebbar, die vom

Urbeginne her die Keimkraft belebt, als die in Ewigkeit vor sich gehende Geburt des Sohnes aus dem Vatergott selbst. Nun schildert Origenes, wie diese Geburt sich am vollkommensten und zum erstenmal schon vor seiner Erden-Inkarnation in der Jesus-Seele ereignete, die sich mit dem Logos vereint hatte und durch ihn vergöttlicht wurde. Die paulinische Kunde von dem zweiten Adam lebt auch bei Origenes in voller Deutlichkeit, als Vermittler der gegenseitigen Durchdringung von Göttlichem und Menschlichem und der Vergeistigung des letzteren. Dadurch, daß die Gottheit selber nicht mit statisch-unbeweglichen Begriffen vorgestellt, sondern als werdend-fortschreitendes Wesen erlebt wird, erscheint die Freiheit des menschlichen Wesens, die selber im Werden ist, als ein kosmischer Faktor. Das Böse ist in diesem Werden immer nur das Zurückbleibende, das Nicht-Schritthaltende, das eigentlich schon Überwundene, dessen Überwindung durch den Menschen nachgeholt oder angeeignet werden muß, um die Freiheit wirklich zu erringen.

*Mani*

Dies ist gerade der Ausgangspunkt, den die manichäische Weltanschauung für ihren stark bildhaften, kosmisch orientierten Weg wählt. Die Weltpolarität zwischen Gut und Böse wird zum Urerlebnis. Eine dualistisch geprägte Gesinnung des Entweder-Oder (wie sie etwa in autoritären Systemen auftritt) konnte dieses polare Urerlebnis nur mißverstehen und zum «absoluten Dualismus» stempeln. Denn gerade die Tatsache, daß die Gesamtwirklichkeit die beiden Pole von Licht und Finsternis mitumfaßt, bedingt ihre Steigerung und sinnvolle Eingliederung in den *einen* Weltprozeß. Die vermittelnde Rolle fällt nach der Anschauung Manis der «Mutter des Lebens» zu, die den «Protos Anthropos», den Ersten Menschen erzeugt, als rein geistiges, makrokosmisches Weltwesen. Er begegnet der Finsternis und wird von ihr verschlungen. Durch die Wirkung des «Lebendigen Geistes», des «Zon Pneuma», wird er in einer Art vorweltlichen Kampfes der Macht der Finsternis entrissen. Doch ein Teil von ihm bleibt von Dunkelheit durchdrungen: der «leidensfähige Sohn des Menschen». Der andere Teil, der «leid- oder leidenschaftslose Sohn des Menschen», bildet das kosmische Wesen, dessen Wohnstätte in ihrem

Wechselspiel mit dem Mond die Sonne ist. Im Weltenäther webt der Heilige Geist, das Firmament und die Erde, wo der «leidensfähige Menschen-Sohn», als Adam und Eva verdichtet, die vollständige Trübung seines Bewußtseins erfährt. Er hat die Absicht, mit dem in der Sonne wohnenden Urmenschen-Sohn den «leidensfähigen» zu verklären. Der lichte Sohn des Menschen steigt, sich mit einem reinen Ätherleib umkleidend, in die Erdenwelt herab, um die Erlösung, die im Makrokosmos schon errungen ist, auch dem Mikrokosmos mitzuteilen. Hier ist mit einer größeren Deutlichkeit auf die Geschehnisse hingewiesen, die in Vorzeiten durch das Wesen durchlebt wurden, welches als der zweite Adam sich mit dem göttlichen Christus-Geist durchdrang, um dessen heilende Kraft der Menschheit auf Erden zugänglich zu machen.

Daß solche spirituellen Höhenflüge den Menschen, die anfangsweise im Begriffe waren, zu sich selbst als Erdenpersönlichkeit «Ich» zu sagen, gefährlich und schwindelerregend vorkamen, ist nicht allzu verwunderlich.

Doch hatten sich diese Tatsachen zu erkennen gegeben. Menschen hatten sie erlebt und mitgeteilt. Nun mußten die Fähigkeiten des Begreifens erworben werden. Dies stand als Aufgabe vor den Trägern des Christentums im Beginne des 4. Jahrhunderts.

*Lukian*

Damals lebte in Antiochia eine Priestergestalt, von der keine Schriften überliefert sind, die aber auf ihre Schüler und deren Nachfolger den allertiefsten Eindruck hinterließ, *Lukian* (275–312). Er begründete die theologische Schule von Antiochia, in der er eine sachliche Methode des Bibelstudiums einführte, die für die reine Erkenntnis der Tatsachen bahnbrechend wurde. Er starb den Märtyrertod, nachdem er auf die Beamten und Richter, die ihn folterten, und auf die Mitgefangenen, denen er das Sakrament austeilte, die stärkste Wirkung gehabt hatte. Rudolf Steiner hat in einem Gespräch mit Friedrich Rittelmeyer angedeutet, daß es sich um eine einmalige Individualität handelt, deren Größe seine Schüler eigentlich nicht gewachsen waren. Er konnte über den spirituellen Zusammenhang der geistigen Menschheitsseele des zweiten Adam mit der göttlichen Logos-Sohnes-Wesenheit Aufschluß geben. Der Inhalt seiner Lehre bezog sich aller Wahrscheinlichkeit nach auf frühere Stadien der Weltentwicklung, in denen das Werden in der Zeit überhaupt begann und die Logoswesenheit aus einem überzeitlichen ewigen Dasein heraustrat. Ein Merkmal seiner Mitteilung ist, um nach seinen Schülern zu schließen, die volle persönliche Durchdringung des irdischen Jesus von Nazareth mit dieser Logos-tragenden Wesenheit. Es wird sogar gesagt, er habe zwei «Logoi», einen ewigen göttlichen und einen geschaffenen, gelehrt.

### *Arius*

Aus der Schule von Antiochia ging in der Zeit nach Lukians Tod (312) der in Alexandria wirkende Priester *Arius* hervor. Mit ihm setzte das Ringen ein, um mit Begriffen, die an den Erdenangelegenheiten ihre Festigkeit und Deutlichkeit entwickelten, Tatsachen und Werte der geistigen Welt zu begreifen. Er hatte gewiß keine Beziehung zu der mystischen Erfahrung einer außerzeitlichen, ewigen Geburt. Für ihn bedeutete «gezeugt werden»: in der Zeit entstehen, mithin Geschöpf sein. Der Logos, der Sohn, ist also ein geschaffenes Wesen.

Demgegenüber betonte er aber die Kraft, die im Bewußtsein durch einen freien Willensakt geboren wird. So betrachtete er die Sündlosigkeit Christi als eine ständig hervorgebrachte Tat des bewußten Willens. Das fortwährende Schaffen von Moralität erschien ihm als das Wesentliche. Dies wird es auch sein, was auf die nun erscheinenden jungen Völker, wie z. B. die Goten, solchen Eindruck machte, daß sie sich besonders der Lehre des Arius anschlossen.

Es ist für die Schwellensituation der Zeit aufschlußreich, daß der Einsiedler *Antonius* die Einsamkeit zuerst in den ägyptischen Gräberfeldern aufsuchte. Die Dämonen der verfallenen Mumifizierungsbräuche drangen hier auf ihn ein. Die starke Kraft, die er ihnen gegenüber entwickelte, wie Athanasius selber in seiner «Vita Antonii» erzählte, entsprang aus derselben Geistatmosphäre, die an diesen Stätten heimisch war. Sie war darauf ausgerichtet, den Menschen ein leibfreies Bewußtseinserlebnis zu vermitteln, das zeitlos war (vgl. R. Steiner: Die

Mysterien des Morgenlandes und des Christentums, Vorträge vom 3. bis 6. 2. 1913). Es handelt sich um ein Erlebnis, das wie eine Geburt aus der geistigen Welt heraus erfahren wird, wo sie aber in Ewigkeit hervorquillt. Aus solchen Erfahrungen heraus widersetzte sich Antonius der arianischen Lehre.

### *Athanasius*

Dies kann ein Licht werfen auf die Verbissenheit, mit der *Athanasius* und seine alexandrinischen Anhänger ein halbes Jahrhundert lang (er starb 373) für die Anerkennung der Ewigen (zeitlosen und ständig sich ereignenden) Geburt des Sohnes-Gottes aus dem Vater, rangen. Athanasius erlebte sie als in der Gottheit selber vor sich gehend; Arius versetzte das Geburtsgeschehen demgegenüber in die von Christus durchdrungene Menschenseele selbst.

Obwohl das Ringen schließlich einem erbitterten Feilschen um Worte glich, war es doch ein ernstestes Bemühen um heilige Gedankeninhalte: Die Wesensidentität (Homoousia) der göttlichen Personen der Trinität, bei verschiedener «Hypostasis». Die Tragik lag nun darin, daß dieses Wort «Hypostasis» von den griechisch Sprechenden verstanden wurde als Grundlage eines Eigencharakters, einer Spezialaufgabe, einer besonderen Wesensäußerung. Die lateinische Übersetzung «sub-stantia» aber verstanden die Lateiner als Wesenheit, Seinsgrund, was die Griechen mit dem Wort «Ousia», Wesen, ausdrückten. Jahrzehntelang wurde um dieses Mißverständnis gestritten. *Gregor von Nyssa,* der Bruder des Großen Basilios, unter den «drei Kappadokiern» der bescheidenste, aber gleichwohl solideste Denker, deckte diese Problematik auf.

### *Gregor von Nyssa*

Er gehörte zu denen, die zwar noch die Kraft, die Beweglichkeit hatten, verschiedenste Ansichten in einem Weltbild zu verbinden, jedoch nicht mehr selbstschaffend die Geisttatsachen, von denen jene Ansichten Abbilder sind, zu erforschen. Seinem Bemühen ist die Gestalt der Anschauung von der Homoousia zu verdanken, die sich auf dem Konzil von Konstantinopel 381 durchsetzte. Er war ein Mystiker, dem es bewußt war, daß

Gott (das Pleroma: die Fülle des Seins, des Guten und des Wahren) seinem Wesen nach unbegreiflich ist. Dadurch bereitete er dem *Dionysios Areopagita* und seiner «Negativen Theologie» den Weg: Die uns zugänglichen Verstandesbegriffe reichen immer nur bis an den Rand, nicht in das Wesen des Göttlichen hinein. Einblick in dieses göttliche Wesen erringt nur ein höheres, ein intuitives Vermögen, das entwickelt werden müßte. Dieses Vermögen ist veranlagt in der «logischen», das heißt Logos-haften Seelenkraft, das die Vielheit der Welterscheinungen zu einem einheitlichen Weltbild zusammenbindet.

Wie der Einzelmensch *einer* ist, so ahnt er auch die Einheit, die Einheitlichkeit des göttlichen Welt-Wesens, seine allumfassende Unteilbarkeit. Die dynamische Auffassung des Origenes, daß Gott aus seinem Wesen den Sohn als eigene Wesensoffenbarung in Ewigkeit herausgebiert – so wie die Sonne durch ihr Sein das Licht erzeugt und das Licht Helligkeit und Offenbarung verbreitet –, ist ihm geläufig. So vermag er die Gegenseitigkeit der Gott-Drei-Einheit vorzustellen als den Vater, der Quelle, *aus* der der Geist ausgeht, den Sohn, das Leben, *durch* den er ausfließt, und den Heiligen Geist, durch den er sich, seine Wirksamkeit *vollendend,* dem Menschen mitteilt. Wenn der Mensch ihn begreift, wird er das Auge, das Organ, durch das Gott seine eigenen Wirksamkeiten wahrnimmt. Es ist dies seine kosmische Aufgabe, der er sich aber, weil ihm Freiheit gewährt war, entzogen und unfähig gemacht hat. Die Absonderung (Sünde) hat ihm nicht den Willen zum Guten, wohl aber die Fähigkeit dazu genommen. So ist der für die Freiheit veranlagte Mensch unfrei geworden. Um ihm diese Fähigkeit zum Guten wiederzuerringen, hat die Christus-Logos-Wesenheit die gesamte leibliche, seelische und geistige Natur des Jesus durchsetzt, was durch Urverwandtschaft, aus der ursprünglichen Ebenbildlichkeit, möglich war. Christus hat ihr die Leidensfähigkeit und die Verweslichkeit durch den eigenen Todes-Sieg hinweggenommen, indem er ihr eine innere Geistgestalt, Eidos, als Keim einverleibte, die durch den Tod erst ganz frei und wirksam wurde. Den Keim dieser Geistgestalt senkt der Christus durch den Heiligen Geist in die empfänglichen Seelen, wo er unsichtbar wächst, bis der Tod ihn seiner Fesseln entledigt.

Viele Einzelheiten können in dieser umrißhaften Schilderung nicht berücksichtigt werden. Das Bemerkenswerte des Stils Gregors ist, daß diese Gedankengänge nicht der Spekulation, sondern meditativer Auseinandersetzungen, dem Erleben, entspringen, daß aber der vorgeschriebene dogmatische Glaubens-Kanon in gewissen Punkten ihnen hemmend entgegen wirkte, so besonders bei der Frage nach dem Ursprung des Bösen. Da er sich fürchtet, in die dem Manichäertum angekreidete dualistische Anschauung zu gleiten, schildert er das Böse als ein Nicht-Sein des Guten. Es ist aber eine reale Wesenheit, die versucherisch an den Menschen herangetreten ist. Wie ist in ihr der Impuls entstanden, sich aus dem göttlichen Plan zu lösen und eigene Ziele zu verfolgen? Aus Neid auf die dem noch unverständigen Menschen zugedachte Freiheit. Hier, in diesem psychologisierenden Versuch, auf die Gründe der Erscheinung eines «bösen» Willens zu kommen, gewahrt man trotz allem, wie die bildhafte Einkleidung vielleicht weiterreicht als eine verstandesmäßig-begrifflich, eingeschränkt metaphysische es könnte. Denn bei genauerem Zusehen erlebt man in dem Aufgehen eines Neidgefühls etwas wie eine Entzweigung des eigenen Wesens, die an einem nagt und gerade deshalb reizt, in der neidvollen Regung fortzufahren, und die nur durch eine schöpferische Einsicht und «Ich-setzung» überwunden werden kann. (Die Belehrung des jungen Parzival durch den Einsiedler Trevrizent bei Wolfram von Eschenbach ist an diesem Punkt der Lehre des Gregor von Nyssa erstaunlich ähnlich!) Gerade an einem solchen Beispiel kann man sehen, wie aktive Meditation, auch wenn geistig entsprechende Begriffe fehlen, in die Nähe der Geisterfahrung führen kann; denn dies ist dem Wesen Luzifers tatsächlich fremd: aus *Einsicht* das Ich zu setzen, weil er sich im Ichgefühl neidvoll-selbstisch steigern will. Wenn auch der Neid ein viel zu kleinliches Gefühl ist für eine solche Wesenheit, so weist es doch in die wahre Richtung.

Dieser kurze Abriß der Anschauung des Gregor von Nyssa sollte hier nicht fehlen, weil sie in der östlichen Kirche den vielleicht einheitlichsten Entwurf darstellt vor demjenigen des *Johannes von Damaskus* im 8. Jahrhundert, der den Abschluß der ganzen theologischen Entwicklung im Osten bildet.

Nachdem also für die Verehrung die göttliche Wesenheit des Logos gewahrt war, stellt sich um so dringender die Frage nach ihrer Einwohnung in die menschliche Natur des Jesus. Daß die Inkarnation nicht bloß eine scheinbare gewesen ist, war schon früher in der Auseinandersetzung mit den Doketisten erarbeitet worden. Nun stellte sich die Frage: Wie lebte sich die Gottheit in die Menschennatur ein? *Apollinaris von Laodicea* regte an, sich vorzustellen, daß in Jesus wohl die Wesensglieder menschliche gewesen seien, nur die «Psyche logike», also das Logosverwandte Seelenglied, bei ihm durch den Logos selbst ersetzt worden sei. Dies wurde als ungenügend empfunden, denn der Logos wäre dann ja nicht wirklich Mensch geworden, er hätte nur in einer menschlichen Hülle gewohnt.

Die nun einsetzenden Diskussionen leiden wirklich an einer mangelnden Erkenntnis aus wirklicher Menschenkunde und am völligen Ignorieren dessen, was die übersinnlich reingebliebene Menschheitsseele, die Anima candida, die als zweiter Adam noch nicht auf Erden erschienen war, für Schicksale in der geistigen Welt und in ihren stufenweisen Durchdringungen mit dem Christuswesen erlebt hatte, bevor sie dann als dem Logos zum Träger zubereitetes Geist-Seelen-Leiborgan in die Erdenwelt eintrat. Die Alexandrinische Schule hebt die Göttlichkeit hervor, die Antiochenische mehr die Menschlichkeit. Darüber schreibt der Kirchenhistoriker Kurtz: «Eine jede dieser beiden Richtungen vertrat *eine* Seite der kirchlichen Wahrheit. In der Einigung dieser beiden Richtungen erkannte die Kirche die *volle* Wahrheit. . . . So entstanden zwei entgegenstehende Irrlehren (Trennung der Naturen oder Vermischung derselben), welche die Kirche, eine nach der andern, ausscheiden und dann die beiderseitig zugrunde liegende Wahrheit einen mußte.»

Das Besondere dieses Vorgangs ist, daß nicht zuerst die Wahrheit eingesehen und dann die jeweiligen Einseitigkeiten zu ihrem Recht gebracht, sondern daß empirisch die Einseitigkeiten gegeneinander ausgespielt, ihre Unmöglichkeiten erkannt und ausgemerzt wurden und später erst eine mittlere, vermittelnde «Wahrheit» hätte herausgeschält werden sollen. Die ausgleichende Ansicht wurde nachträglich aufgestellt und behauptet. Ob auch ein Verständnis davon möglich war, blieb offen. *Nestorius* wurde gleichsam in die Enge getrieben, so daß er Thesen aufstellen mußte, um seine angegriffene Stellung zu verteidigen. Er wurde durch raffinierte Stimmungsmacherei aus kirchenpolitischen Gründen verurteilt. Er selber war gar kein besonders auffälliger Theologe. *Kyrill von Alexandria* erreichte, als Nebeneffekt seiner Agitation, daß die in den Seelentiefen schlummernde tiefe Marienverehrung an die Oberfläche kam und auch nicht wieder wich. Auf dem Konzil zu Ephesus 431 ließ er verkünden, Maria sei Theotokos, Gottesgebärerin. Tiefste Menschheitsmysterien kamen also gefühlsmäßig in die Seelenregungen und wirkten insofern oft stark bildend und stärkend, manchmal auch dunkel rumorend. Lagen darin letzte Nachklänge der ägyptischen Isis- und Horus-Mysterien?

Eine Zeit war gekommen, die tiefgreifende Veränderungen brachte: 429 erschienen die Vandalen in Nordafrika. 430 starb Augustinus. 432 fuhr Patrick als Missionar nach Irland. Im selben Jahr starb Johannes Cassian. Was ist geschehen?

Neben all den politischen Ereignissen und theologischen Kämpfen und Forschungen hatte sich eine Strömung gebildet und gewaltig ausgebreitet: das Mönchtum.

### *Die Mönchsbewegung*

Um den Eremiten *Antonius* (251–356) in Ägypten hatten sich Scharen von Nachahmern gesammelt, die er belehrte. *Pachomius* vereinigte sie in Gemeinschaften und gab ihnen eine erste Regel. Andere bildeten sich in Palästina, im Sinai. Ihr Einfluß war groß. Im guten Sinn für die kontinuierliche Pflege des geistigen Lebens; aber auch zuweilen verheerend durch ihre Maßlosigkeit und Unordnung.

Aus ihren Reihen gingen allerdings einige der bedeutendsten Persönlichkeiten des kirchlichen Lebens hervor, Persönlichkeiten, die nach intensiver Hingabe an innere Übung und Askese, jedoch aus Einsicht in mögliche Einseitigkeit ein offenes Auge für die Welt und ihre Nöte gebildet, d. h. ein Gleichgewicht zwischen Mystik, Studium und Arbeit errungen hatten. Es ist bezeichnend, daß Gestalten wie *Basilius* von

Cäsarea in Kappadokien (330–379), wie *Martin* (320–400), der, aus Pannonien kommend, bei Tours, Poitiers, Ligugé in Gallien wirkte, *Johannes* der Antiochener (347–405), den die Nachwelt *Chrysostomos* nannte, *Synesius* (370–412), der neuplatonische Philosoph aus Kyrene in Nordafrika, *Ambrosius* (329–397), der große Mailänder Heilige, gesucht und mit List oder Gewalt gezwungen werden mußten, die Bischofswürde auf sich zu nehmen. Die beiden letzteren waren noch Heiden, die, in öffentlichen Stellen wirksam, doch ein intensives religiöses Leben führten. Die anderen entstammten der Einsiedler- oder Mönchsbewegung. Basilius, von dem wir übrigens eine der ersten Naturbeschreibungen der Literaturgeschichte haben, entfaltete eine ausgesprochen soziale Genialität. Er gab den Mönchen die Regel, die bis heute in den orthodoxen Klöstern Gültigkeit besitzt und die, weniger auf bloßer Autorität gegründet als die benediktinische, für die Einteilung der Beschäftigung im Tageslauf und für die Gesinnungen, an die Einsicht der Brüder appelliert. Martin prägte durch seinen ethischen Gleichgewichtssinn das religiöse Erkenntnisstreben Westeuropas. Von Johannes Chrysostomos geht eine umfassend durchgeistigte Menschlichkeit und Opferfähigkeit aus. Eben in dieser Zeit, zwischen 350 und 450, wurde auch in Südgallien ein Ausstrahlungsherd durch die Gestalten des Honoratus und des Johannes Cassian geschaffen.

### *Julian*

Einer Individualität muß in diesem Zusammenhang gedacht werden, die, obwohl ihre Regierungzeit nur zwei bis drei Jahre umfaßt, für die Geistesgeschichte von hoher Bedeutung war. Es ist der Kaiser *Julian,* der 360 in Lutetia (Paris) von seinen Legionären zum Imperator ausgerufen und 361 Kaiser wurde. Am 26. Juni 363 wurde er auf dem Feldzug gegen die Parther hinterrücks getötet. Die Tatsache, daß er und sein Bruder Gallus die einzigen Überlebenden der Familienmorde nach Konstantins Tod (338) waren, hat ihm eine eigentümliche Vorstellung der Christlichkeit seiner Onkel vermittelt. Trotzdem war auch er eine friedliebende, eher philosophisch-kontemplativ veranlagte Natur. In seiner Jugend begegnete er während ihres Studiums in Athen den Kappadokiern Basilios und besonders Gregor von Nazianz. Sein Weg führte ihn aber dann nach Eleusis, wo er in die Mysterien eingeweiht wurde. Als er auf den Thron stieg, bewies er sofort eine für jene Zeit undenkbare Toleranz und Geistesfreiheit, die aber sofort auf das totale Unverständnis und Unvermögen sowohl der Christen als auch der Heiden stieß. Es löste in ihm eine tiefe Bitterkeit aus, die man zumeist auf seine Jugendlichkeit zurückführt, die man aber, durchschaut man die unerhörte Größe und Bewußtseinsweite der von ihm geplanten und inaugurierten Reformen, als tiefstes Herzeleid über eine Menschheitstragik erkennt. Man kann die Großzügigkeit der von ihm vorgesehenen Maßnahmen eigentlich nur der umfassenden Ökumenizität eines Mani vergleichen. Denn er ahnte, daß das Christentum nicht eine Religion unter anderen ist, sondern auf einer vollzogenen Tatsache beruhte, die für alle Religionen zentrale Wichtigkeit hat. Es schwebte ihm eine gegenseitige Freiheit vor, die die Bedingung für eine Entwicklung der antiken Welt auf das Christentum hin gewesen wäre. Dafür hätte die christliche Kirche einige der Weisheiten, die in den Mysterien gepflegt wurden, verarbeiten müssen, so die kosmische Dimension der Menschheitsaufgabe, d. h. die kosmischen Bezüge der Menschenkunde selber, so auch die Vorgeburtlichkeit, die Metamorphose des Menschen-Ich von Erdenleben zu Erdenleben.

Dazu war die Bewußtseinskraft noch nicht stark genug. Um sich der moralischen Qualitäten einer jeden Handlung bewußt zu werden, mußte der Mensch die Einengung des Seelenhorizontes bis auf den Punkt der Einzelpersönlichkeit durchleben.

Vielleicht empfand es Julian, der Frühreife, als selbstverständlich, daß die Geburt des Ich in der Einzelseele, die sich für die Menschheit um den Merkpunkt des Jahres 333 vollzog (er selber war 331 geboren), die nötige Reife gebracht hätte (oder alsbald bringen würde), um derart umfassende Probleme zu meistern. Das war aber nicht der Fall. So wie Origenes in eben diesen Zeiten, wenn auch noch nicht verketzert, so doch in seinen Werken verurteilt wurde, so wie Mani als das Greuel aller Irrtümer hingestellt wurde, so wurde der «Apostat» mit Sarkasmus «boykottiert» und schließlich aus dem Weg geschafft.

Es entwickelte sich also eine kirchliche Lehre, in der die Soteriologie, die Heilslehre, immer mehr in den Mittelpunkt rückte, weil man den Sinn des Ereignisses von Golgatha nicht mehr anders fassen konnte denn als Heilsgeschehen für den Menschen. Der Zusammenhang mit der Weltentwicklung und eine konkrete Beziehung mit anderen, höheren Welten wurde immer verschwommener, obwohl er noch lange in der Volksfrömmigkeit gefühlsmäßig weiterlebte. Der Gedanke an wiederholte Erdenleben verschwand vollends aus den Vorstellungen. Damit kam die Ethik in die Gefahr, anstatt auf einer intuitiven Wahrnehmung von moralischen Werten zu beruhen, in eine Vergeltungskasuistik auszuarten bzw. in eine allgemeine unverbindliche Lässigkeit abzuflauen.

Nur in der einmaligen, durch Geburt und Tod begrenzten Persönlichkeit, ohne Fäden der Verbindung mit dem kosmisch bedingten Umkreis, kann sich das Ich selber ergreifen und mit rein ethischen, geistigen Impulsen aus Einsicht verbinden. Reine, also freie Moralität kann nur in der räumlichen und zeitlichen Einsamkeit geboren werden. Es entspricht dem Zeitwendepunkt in der Menschheitsentwicklung, daß damals dieser Zusammenhang mit dem geistigen Kosmos und dem geistigen Wesenskern des Menschen, der von Inkarnation zu Inkarnation geht, dem Bewußtsein entschwand. Damit war der erste Anstoß zur Freiheit gegeben. Julian erhoffte, nachdem von Origenes und von Mani keimhafte Anlagen zu einer Wiederbelebung jener Bewußtseinsfäden vorbereitet worden waren, daß schon daran angeknüpft werden konnte, um aus der Einsamkeit und Freiheit die Verbindung wiederherzustellen. Das war sein Trugschluß und bewirkte die ihn zermürbende Enttäuschung.

Der Augenblick war gekommen, wo nach den Fragestellungen über das Verhältnis des Sohnes-Gottes zum Vater und dann der göttlichen und der menschlichen Natur in Jesus folgerichtig die Erkenntnis des Menschenschicksals und der Freiheit in den Brennpunkt der Begriffsbildung trat.

### *Augustinus*

Dies wurde zum Schicksalsdrama im Leben des *Augustin* (354–430). Sein Lebensgang ist dadurch bekanntgeworden, daß er als erster eine Autobiographie schrieb. Er stellte seine ausschweifende Jugend dar, seine

Wahrheitsliebe nach dem Lesen Ciceros, sein Studium der Rhetorik und des Rechts, seine neunjährige Zuhörerschaft bei den Manichäern, dann seine Zuflucht im Neuplatonismus, bevor er Ambrosius kennenlernte und durch eine innere Krisis zum katholisch-kirchlichen Christentum kam.

Ein Mensch des Zwiespalts, des Widerspruchs zwischen seinem scharfen, höchsten, ja absoluten Anforderungen nachstrebenden Geist und seiner nordafrikanisch leidenschaftlichen Seele. Logik und Instinkt verbinden, wie wird das möglich? Immer stellt das eine Element das andere in Frage. So bleibt der Zweifel die einzige Tatsache, die sicher ist. Ich zweifle aber durch das Denken. Also ist das Denken für mich die Gewähr, daß ich bin. Den Descartesschen Weg zu sich selbst hat Augustin schon einmal beschritten. Darin liegt ein Sieg der Logik über den Instinkt, des Bewußtseins über das Unbewußte. Es ist nicht eine Bewußtseinserweiterung, die beide verbindet.

Er hat neun Jahre im Vorhof des Manichäismus geweilt, den übergeordneten Seinsgrund suchend, der die Polarität von Licht und Finsternis in einer Steigerung zu Höherem umfassend ermöglicht. Er mochte weder die griechische Sprache noch die Mathematik, noch eine dynamische Denkweise. Ihm mußte alles in klaren, eindeutigen Sätzen vorstellbar sein. So brauchte er die Gewährleistung der kirchlichen Tradition für die Gültigkeit der Sakramente und die Festlegung der Lehr-Vorstellung, daß das Sakrament unter allen Umständen wirkt, unabhängig von der Würdigkeit des Zelebrierenden; ferner die unbedingte Unterwerfung unter die Autorität der historisch gesicherten Sukzession. Dem Neuplatonismus entnahm er seine Auffassung über das Böse als das Fehlen des Guten, wie es bei Gregor von Nyssa schon zu finden ist.

Gregor korrigierte die Vorstellung, daß das Böse nicht aus Gott stammen könne, daß es aber auch nicht ein Gegengott sein könne (sonst wäre Gott nicht mehr Gott), indem er sie mehr psychologisch bildhaft übergehen ließ in den Mythos des Neidgefühls bei dem Versucher selbst: So entsteht der Gegensatz zuerst im Widersacher und von ihm aus in der Welt. Bei Mani hatte diese ganze Frage eine kosmische Dimension: Das im jetzigen Zyklus der Kosmogenese zu überwindende Böse hat seinen Ursprung und seinen Sinn innerhalb weiterer und umfassenderer Weltentwicklungen, in einer die gegenwärtigen Vorstellungsfähigkeiten übersteigenden Gottheit, zu deren Gemeinschaft sich aber das Bewußtsein in Stufen hinwandeln kann durch die erlösende und erleuchtende Macht des Sonnenwesens Christi.

Augustinus konnte diese Aussicht auf eine nimmerruhende Entwicklungsbewegung nicht ertragen (Inquietum cor nostrum donec requiescat in te. – Unruhig ist unser Herz, bis es ruht in dir). Auf seine Fragen nach einem Entweder–Oder, nach einem Abschluß, nach Endgültigkeit, antwortete der manichäische Bischof Faustus von Mileve nicht. Vor der Eindeutigkeit des Paulus-Wortes «Ziehet an den Herrn Jesus Christus» entsagte er urplötzlich allem weiteren Suchen und übergab sich der höheren Macht der historischen Kirche.

Die alles überragende und überwindende Macht der Gnade, die ihn zur Versöhnung mit sich selbst geführt hatte, hatte er in diesem Sinne an sich erfahren. Er faßte sie mit seiner logischen Radikalität in ein widerspruchsloses System ein: Da es im Wesen Gottes liegt, allmächtig zu sein, hat er – und er allein – die Macht, zu lösen und zu binden, lebendig zu machen oder zu töten. Dem Menschen, Adam als Gesamtmenschheitsseele, war die Möglichkeit gegeben, nicht zu sündigen. Es war seine Freiheit. Er hätte sie dazu verwenden können, daß er die Fähigkeit erlangt hätte, nicht sündigen zu können. Er hat sie aber dahin genützt zu sündigen. So kam er in den Zustand, nicht sündigen *nicht* mehr zu können! Solche lapidaren Wortprägungen setzen sich wie Hammerschläge im Gedächtnis nieder und bleiben da als Kräfte, an die das Denken kaum mehr rütteln kann: Posse non peccare – non posse peccare – non posse non peccare.

### *Pelagius*

Zu einer noch festeren Prägung dieser Anschauungen wurde Augustinus durch das Auftreten des irischen oder britischen Mönches *Pelagius* in Rom gebracht, der – als Antipode in der Erfahrung des selbständigen Ich in sich – die ausschließliche Verantwortung des einzelnen für sein moralisches Leben betonte. Er betrachtete die Erbsünde, mit der wir durch die Geburt selbst schon belastet wären, als einen Widerspruch in der göttlichen Gesinnung selber: dann wäre es einfach unsinnig, daß Gott den

Menschen zumutete, sich von der Sünde abzuwenden. Augustin sah sich durch solche Aussprüche gedrängt, seine Anschauung nun ganz bis in die äußerste Konsequenz zu präzisieren: Nachdem alle sich, durch den Fall, der Schuld und also dem Tod ausgeliefert haben, ist es ein reiner freier Gnadenakt Gottes, einige (und dies ganz nach seinem freien Wohlgefallen) aus diesem Zustand zu erlösen, die anderen zu lassen. Und der Entscheid dazu ist von allem Weltenanfang her schon gefällt. So schließt sich für ihn der Kreis, der eine absolute Anerkennung der reinen Allmacht Gottes ausdrückt und innerhalb dessen kein Widerspruch möglich ist, der die Menschheit aber unausweichlich in zwei absolut getrennte Hälften scheidet: die Erlösten und die Verdammten von Anfang an und in alle Ewigkeit.

Pelagius reist zu Augustin nach Nordafrika, um eine Unterredung mit ihm zu haben. Dies ist auch eine Seltenheit, daß ein von einer hochangesehenen Persönlichkeit Angegriffener, sich voller Ergebung auf den Weg macht, um den Versuch einer Verständigung zu wagen. Nach einer anfänglichen Hochachtung für ihn ließ sich Augustin dann doch dazu verleiten, die Wucht der eigenen Autorität in die Waagschale zu werfen und auf den redlichen Mönch richtiggehend zu hetzen, wie auch auf andere ihm wohlgesonnene Menschen. Dies geschah z. B. beim römischen Bischof, der dem berühmten Kirchenvater schließlich nur aus dem Grund recht gab, weil er sich geschmeichelt fühlte, in dieser Angelegenheit befragt worden zu sein. Pelagius wurde im ganzen Westen verketzert. Der Osten sprach sich nicht aus. Er blieb bei dem Ausspruch Gregors von Nyssa, der, besonnener und gemäßigter als beide Pole, eine mittlere Stellung einnahm.

Wenn nicht die tiefe christliche Frömmigkeit Augustins seiner Gestalt eine eindeutige Ausstrahlung verliehen hätte, würde man seine Lehre mit dem Islam vergleichen können, dem sie vielleicht den Weg bereitet hat.

### *Johannes Cassian*

*Augustin* lebte noch, als der Begründer des Klosters St. Victor in Massilia (Marseille) die Feder ergriff, um ihm eine lebendigere Auffassung entgegenzusetzen. *Johannes Cassian* (350–430) – von dem öfter behauptet wird, er sei ein Skythe gewesen – hatte in Bethlehem, dann in Ägypten als Mönch gelebt. Er wurde in Konstantinopel Schüler von Johannes Chrysostomos, fuhr nach dessen Absetzung nach Rom und kam von dort nach Marseille, wo ein Männer- und ein Frauenkloster entstanden. Er wußte aber, durch das Beispiel des Pelagius belehrt, daß es keinen Sinn hatte, Augustins Persönlichkeit anzugreifen. So wählte er den Weg, die Ideen selber auszusprechen, Stellen und Beispiele aus der Bibel anzuführen, die diese Ideen erhärten, und sie selber wirken zu lassen. Das (von Ida Stümke erwähnte) 13. Kapitel seiner «Collationen» (Unterhaltungen) schließt mit den Worten: «Und soferne irgendein menschliches System diesen Gesinnungen entgegenlaufen sollte, wird es immer das Beste sein, desselbigen sich zu entschlagen, ohne sich dagegen in Streit einzulassen.» Dieser Satz zeigt schon, daß er im Bewußtsein lebte, die Wahrheit spreche selber eine deutliche Sprache, die Disputationen dagegen ließen eher Machtfaktoren und Emotionen walten, gegen die mit ihren Mitteln zu kämpfen eigentlich schon ein Abgleiten von dem reinen Erkenntnisstreben bedeute.

Es seien hier nur einige seiner Worte wiedergegeben, als Überleitung und Unterbauung zur Studie von Ida Stümke. Um die absolute, alleinige Initiative Gottes in allen unseren Taten, die zum Guten führen, zu unterstreichen, hatte Augustinus die Formeln geprägt: Gratia praeveniens – die zuvorkommende Gnade; Gratia operans – die bewirkende Gnade; Gratia cooperans – die mitwirkende, unterstützende Gnade. Unser Wille ist also immer untergeordnet und untergeben. Die Gnade wirkt vor uns, in uns, für uns, wieder im Stil des Augustinus, eindeutig, unwiderstehlich.

Man kann danach nicht anders, als die «Ergreifung» des Menschen durch die Gnade vorzustellen, wenn man nicht erlebt, wie die Geburt eines Ewigen in die Zeit vor sich geht. Wenn sich das zeitliche Gefäß *selber* zur Verfügung gestellt hat, erlebt es, wie das geheimnisvolle Wechselspiel beider Elemente gerade dadurch möglich ist, daß die göttliche Welt alles, auch das Gefallene, mitumfaßt und die Freiheit für tätige Heilwirkung im Willen als Entwicklungsfaktor des Menschenwesens einbezieht. Die Mönche der Provence hatten ein inspiriertes Gefühl von dessen Realität. Ihr Beitrag ist ein wesentlicher Schritt in Richtung der entsprechenden Begriffsbildung.

Daß alles geistig Gültige aus dem göttlichen Geist kommt, war Johannes Cassian selbstverständlich: «Man sieht hieraus offenbar, daß der Grund aller guten Handlungen sowohl als Gedanken aus Gott komme, der uns nicht nur den anfänglichen guten Willen gibt, sondern auch die Kraft und Gelegenheit verschafft, das Gute, das wir wollen, wirklich zu vollbringen . . . (Paulus-Zitat, II. Kor. 9/10) – Unsere Sache aber ist's, daß wir der uns täglich ziehenden Gnade Gottes gehorsamlich folgen.»

Aber: «Man kann diese Erklärungen nicht anders aufnehmen, als daß beides, teils die Gnade Gottes, teils unser freier Wille festgestellt werde und daß der Mensch zuweilen auch durch seine eigenen Bewegungen Lust zur Tugend bekommen könne, immer aber nötig habe, von oben unterstützt zu werden.»

Dieser «Synergismus», der ein Geheimnis bleibt, aber aus der Bibel und auch der Erfahrung nicht hinweggeleugnet werden kann, widerspricht in keinem Falle der Allmacht Gottes, gibt es doch Augenblicke, wo der Mensch Gottes Liebe einsieht und aus Einsicht sich mit ihr verbindet. Dann handelt er auch aus Freiheit. «Und so haben alle rechtgläubigen Väter geurteilt, es sey Gottes Gabe einmal, daß in einem jeden Begierde zum Guten entstehe, wobei aber doch der Wille frei bleibe, hernach daß es zur wirklichen Tugend komme, aber neben der Freiheit des Willens; endlich daß man in der Tugend beharre, und zwar ohne daß unsere Freiheit aufgehoben werde.» So und nur so stimmt Johannes Cassian mit Augustins Sätzen von den drei Gnaden überein. Diese Anschauung scheint uns tief verwandt zu sein mit der geistigen Erfahrung, die der Christus Jesus in dem Gleichnis des «Verlorenen Sohnes» (Lukas 15) darstellt: Wie der aus Einsicht wiederkehrende Sohn erfährt, daß sein Vater ihn längst erwartete.

IDA STÜMCKE

# Vom Ursprung des johanneischen Christentums in Südgallien

*Heute ist aber die Zeit, wo die Menschheit sich unbedingt zurückerinnern muß an dieses spirituelle Erfassen des Christentums in den ersten christlichen Jahrhunderten.*[1]

Als an dem Mittwochabend vor den Ereignissen auf Golgatha Maria Magdalena in der Stille von Bethanien die Salbung an dem Christus vollzog, und sogleich der Zorn des Judas über diese Tat – wie er sagt – der Verschwendung aufbricht, spricht der Christus über das, was durch Maria geschah, wie es in den Evangelien überliefert ist: «Ja, ich sage euch, wo immer in aller Welt diese göttliche Botschaft verkündet wird, da wird man auch sagen, was sie getan hat, und wird ihr Gedächtnis feiern.»

Mit diesen Christus-Worten ist das Schicksal der Maria Magdalena liebend einverwoben in die Zukunft der Menschheit. Und wenn ihr späteres Erdenleben in der Legende verbunden wird mit dem Beginn einer johanneischen christlichen Strömung in Europa, die vom Süden nach dem Norden und wieder vom Norden nach dem Süden eine große Vertikale in die lebendige Geistesstruktur der Erde zeichnet, so wird man im Schicksal dieser christlichen Strömung auch immer wieder etwas wie den Duft des Salböles spüren, der einmal das stille Haus in Bethanien erfüllte; denn das, was später mit dieser hohen johanneischen Kirche verbunden war, ist die Nähe des Todes, das Immer-wieder-in-ein-Sterben-Gehen.

An der Rhônemündung im Süden Frankreichs erhebt sich auf den Ruinen eines alten Diana-Heiligtums, an der Stelle einer frühchristlichen kleinen Holzkapelle, eine burgartige Kirche, genannt «l'Eglise des Saintes-Maries-de-la-Mer». Heute noch ist mit dieser Kirche ein alter seltsa-

1 Rudolf Steiner, «Die dreifache Sonne und der auferstandene Christus».

mer Brauch verbunden. Am 24. Mai kommen dort aus ganz Europa die Zigeuner, die Heimatlosen Europas, zu ihrem höchsten Fest zusammen im Gedenken an die schwarze Sarah, ihre Stammesheilige, die als Dienerin mit den Schwestern des von Christus auferweckten Lazarus-Johannes[2] nach Südgallien kam, mit Martha und Maria Magdalena, mit Maria Cleophae und aus dem weiteren Jüngerkreis des Christus mit Eutropius und Maximin.

Von den Aposteln zu Jerusalem ausgesandt – so sagt die Legende –, landet ein Schifflein mit den heiligen Boten an der Küste Südgalliens, nicht weit von Marseille. Eine andere Legende, in der sich noch stärker die Engelführung dieser Missionsfahrt spiegelt: Das Schifflein mit den Lazarusschwestern und ihrem Gefolge wird von den Juden steuerlos in die See gestoßen, und der Sturm trägt das Boot hinüber an den südgallischen Strand. Weiter berichtet die Legende von dem Wirken der heiligen Schwestern. Martha, das Evangelium verkündend, wandert durch die Landschaft der südlichen Provence, besonders in Arles, Avignon und Tarascon lehrend, bis hin nach Fréjus, überall heilige Stätten vorschristlichen Geisteslebens aufsuchend. Maria Magdalena aber zog sich zurück in eine Höhle des wilden Kalkgebirges östlich von Marseille, heute genannt «Sainte Baume», und führte dort 30 Jahre in der Einsamkeit ein Leben des Gebetes, der inneren Versenkung.

Uns ist die Lebensgeschichte der beiden heiligen Frauen, vor allem das Leben der Maria Magdalena, überliefert durch Hrabanus Maurus, den wohl gelehrtesten Geistlichen des 9. Jahrhunderts, den Abt von Fulda und Freund Kaiser Ludwigs des Frommen.

Hrabanus, der als junger Mensch nach Tours an die Schule des gelehrten Iren Alkuin kam, empfing dort von seinem Lehrer nach Sitte der Zeit zu dem eigenen Namen noch einen zweiten hinzu, den Namen Maurus, des Lieblingsschülers des Heiligen Benedikt. Vielleicht ist diese Namengebung schon ein Vorschein für die Stellung des Hrabanus innerhalb der christlichen Kirche im Mittelalter. Denn das Kloster Fulda, als Gründung

2 Rudolf Steiner weist in seinem Buch «Das Christentum als mystische Tatsache» auf den Zusammenhang von Lazarus und Johannes hin.

von Rom ausgehend und mit dem Benediktiner Bonifatius verbunden, stand vom Beginn an im Gegensatz zu allem, was noch mit der alten gallikanischen Kirche zusammenhing und auch was ausging von den irischen Klostergründungen. So empfängt die Schrift des Hrabanus Maurus über Maria Magdalena für uns ein Gewicht dadurch, daß der Verfasser kritisch zum Beginn und zur Entwicklung der gallikanischen Kirche stand. Und wenn heute auch Legenden nicht mehr wie in früheren Zeiten als gesicherte historische Zeugnisse gelten, so können wir sie doch als wichtigste Spuren spirituellen Geschehens verstehen.

Es lag dem Hrabanus für seine Schrift über Maria Magdalena ein Bericht vor aus dem 5. Jahrhundert, der sich wiederum gründete auf den hebräisch geschriebenen Bericht der Marcella, der Dienerin Maria Magdalenas. Wie bedeutsam dem Hrabanus das Leben der Maria Magdalena war, zeigt sich daran, daß er die Stätten ihres Lebens in Palästina aufsuchte, ehe er dann sein Büchlein niederschrieb und damit zugleich in den theologischen Streit seiner Zeit über die drei Marien eingriff, über die Identität der Maria von Bethanien, der Maria Magdalena und der großen Sünderin nach dem Evangelienbericht des Lukas. In späteren Überlieferungen[3] taucht auch der Name des Lazarus auf in Verbindung mit der Missionsreise der Schwestern. Hrabanus bringt den Namen aber noch nicht. Auch bleibt die Lazarusgestalt in späteren Legenden merkwürdig schattenhaft, wohl das Zeichen, daß Lazarus-Johannes historisch nicht an der Missionsfahrt nach Gallien teilnahm, führte ihn doch der äußere Lebensweg, wie überliefert ist, nach Ephesus in Kleinasien. Doch ist er verbunden durch die Schwestern mit dem Impuls zur Begründung der christlichen Kirche, der johanneischen Kirche in Gallien.

Was aber steht hinter der Legende von dem Wirken der Lazarusschwestern in Südgallien?

In Rom, dem Mittelpunkt der spätantiken Welt, ist mit Petrus die Kirche in einer bestimmten Prägung begründet, indem der spirituelle Impuls des Christentums sich mit dem erdenwärts gerichteten Lebenswillen des römischen Imperiums verband. In Südgallien dagegen begegnet

3 «Legenda aurea» des Jakobus de Voragine.

das Christentum in den beiden Lazarusschwestern dem keltischen Volksgeist, und er nimmt seinem Wesen gemäß nun das Christentum in der johanneischen Geistesart auf.

Von den ersten Jahrhunderten der Entwicklung dieser südgallischen Kirche ist wenig überliefert. Namen stehen vor uns, verbunden mit Wundertaten der Heiligen. So wirken, ganze Landschaften durchsonnend, Trophimus in Arles, Maximin in Aix – wundersame Leben, durchstrahlt von Engelbegegnungen. Doch ist es, als berühre der Christus nur erst den Seelenraum des Keltentums; das volle Aufnehmen des Christuswesens im keltischen Gallien vollzieht sich im 4. Jahrhundert.

Eine der ersten Gestalten, die deutlicher heraustreten aus der seelisch noch verhüllten Entwicklung, ist St. Honoratus. Aus reichem burgundischem Geschlecht stammend, wird er früh vom Christentum berührt. Er verläßt seine Familie und wandert mit seinem Bruder Venantius und dem alten Gefährten Carpraise nach Griechenland, griechisches Wesen, griechischen Geist, aber auch morgenländische Frommheit, orientalische Gebetskraft zu suchen, die Kräfte, durch die einmal das Christuswesen zuerst aufgenommen wurde.

Die Wanderungen heiliger Menschen in frühen Zeiten geschahen ja noch träumend, aus Kräften, die heute verloren sind, aus einem sicheren Ahnen oder inneren Erfühlen geistiger Zentren der Erdenstruktur, aus einem Erspüren dessen, was an spirituellen Orten einmal geschah. Und in diese alten Fähigkeiten konnte noch Schicksalsführung hereinwirken.

Auf dem Rückweg von Griechenland stirbt der Bruder, und unter diesem Schicksalszeichen landet Honoratus schließlich mit dem Gefährten auf der kleinen Insel Lérins, dem alten Lerinum, heute genannt St. Honorat, vor der Mittelmeerküste der Provence, nicht weit von den beiden wohl ältesten Städten Südgalliens, vor Antibes und Fréjus. Sicher wirkte Schicksal herein in diese Wege, die ihn, der erfüllt von griechischem Geist zurück nach Gallien kam, nun diejenige Stadt zum Ausgangspunkt für sein neues Wirken wählen ließ, die mit der letzten Lebenszeit der Lazarusschwester Martha verbunden war, mit Fréjus – denn von dort aus begann seine Überfahrt zur Insel Lérins. Und der Tod des Bruders wird zur Schwelle dessen, was auf Lérins jetzt begann.

Die kleine Felseninsel Lérins trug in römischer Zeit ein bekanntes Venus-Heiligtum. In den Wirren der Völkerwanderung war sie nach Überfällen durch Barbaren von den Einwohnern verlassen, verödet, das Trinkwasser verdorben, nur Schlangen bewohnten das Eiland. Als Honoratus die Insel betritt, schlägt er eine neue Quelle aus dem Fels, und die Schlangen verlassen die Insel. Bilder, die uns später wieder begegnen bei den irischen Klostergründungen. Vielleicht war von Honoratus bei der Begründung des Klosters auf Lérins nichts anderes geplant, als einen Ort religiöser Versenkung zu schaffen. Wird uns doch Honoratus von seinem Schüler St. Hilaire von Arles beschrieben nicht als ein Lehrender, sondern als ein Mensch von ausstrahlender Liebeskraft: «Il portait dans son âme les âmes de tous.» Und wie auch sein Wesen sich offenbarte in seinem Sterben: Honoratus leidet schwer, Hilarius, der Freund, ist bei ihm. Der Sterbende tröstet die trauernden Mönche: «Die edlen Seelen müssen viel leiden, denn sie sind dazu geboren, Beispiel zu sein für die anderen und sie leiden zu lehren.»

Mit einem Leben der Versenkung, der Seelenschulung, beginnt der Lériner Impuls. Strahlend steigt aus der Stille des klösterlichen Lebens eine Geisteskraft auf, die sich Rom entgegenstellt und die das Leben der frühen gallikanischen Kirche bestimmt und noch Jahrhunderte nachwirkt, um dann im Untergehen den Impuls wie hinüber zu retten, hinüber zu reichen den irischen Mönchen, den Perigrini, die im 7. und 8. Jahrhundert, vom Norden kommend, ein johanneisches Christentum durch Mitteleuropa bis nach Norditalien tragen.

Von Honoratus ging eine starke Wirkung aus, so daß aus aller Welt, vor allem aus dem nahen Orient, christliche Mönche kamen, um auf Lérins ein Leben der Versenkung zu führen. Und bald erwächst aus dem einfachen klösterlichen Andachtsleben die in damaliger Zeit berühmte theologische Schule, von Rom genannt die Hochburg der Irrlehre des sogenannten Semipelagianismus.

Von manchen der ersten großen Christen in Gallien haben wir eine Beschreibung von Lérins – so von Eucherius und Caesarius von Arles. Alle rühmen die zauberhafte Schönheit der Insel. Pinien, Myrten und herrliche Blumen bedecken das kleine Felseneiland im Meer, das nur 1,5 km lang und einen halben Kilometer breit ist. Das Kloster, die zentrale Kirche und mehrere Kapellen lagen auf der Insel. Ein in späterer Zeit erbauter mächtiger Festungsturm gegen die Angriffe der Sarazenen ist heute noch erhalten.

Barralis, ein Mönch des 16. Jahrhunderts, der die Geschichte der Insel überliefert hat, nennt das Jahr 375 als Gründungsjahr des Klosters durch Honoratus. Caesarius von Arles sagt von Lérins: «Die Insel zieht hervorragende Mönche groß und liefert durch alle Provinzen die vorzüglichsten Bischöfe.» So soll Lérins bis zur Zeit Karls des Großen Gallien zwölf Erzbischöfe, zwölf Bischöfe und zehn Äbte geschenkt haben.

Das religiöse Leben auf Lérins hatte in der ersten Zeit ein ganz eigenes Gepräge, so wie es aus den Berichten des Caesarius deutlich wird. Die Mönche wurden durch kein Gelübde gebunden – sie konnten das Kloster wieder verlassen, wie sie es wollten. Probezeiten der Mönche, also ein Noviziat, gab es noch nicht, auch keine Regel. Nicht einmal Gehorsam dem Abte gegenüber wurde von den Mönchen verlangt. Alles Tun war noch ein freiwilliges. Und dieses auf Freiheit sich gründende geistige Leben war möglich dadurch, daß noch ein hoher Enthusiasmus die Seelen der Mönche erfüllte. Die spätere Benediktiner-Regel, die auf Lérins erst 661 durch den Abt Aygulphe eingeführt wurde, verlangte bei der Aufnahme eines Mönches in die Klostergemeinschaft das dreifache Gelübde: 1. Stabilitas = der Aufzunehmende gelobt den für sein ganzes Leben gültigen Aufenthalt in demselben Kloster. 2. Conversatio morum = er verpflichtet sich zu einem mönchischen Lebenswandel. 3. Gehorsam dem Abte. Damit entstand später eine andere Welt bis in die Lebensformen hinein.

Das frühe Lérins aber kannte noch keine Uniformierung des Lebens. Die Mönche lebten einzeln in ihren Hütten oder Zellen – nur zu den Andachten versammelten sie sich. Das Kloster war arm, die Mönche trieben außer ihrer geistigen Arbeit Ackerbau, Weberei und Mattenflechten zum Unterhalt des Klosters. Man las auf Lérins die Schriften der griechischen und römischen Klassiker, man las Xenophon, Virgil, Cicero, dann vor allem von den Kirchenvätern Origenes, Ambrosius, dessen Hymnen man sang. Bald entstand eine hohe musikalische Kultur. Das ganze Leben auf der Insel war in ein musikalisches Element getaucht, das die Seelen formte. Bei den Andachten wurden vor allem Hymnen gesungen, die die Natur preisen, so am frühen Morgen zur Prim: «Der du den lichten Äther schufest.» Aus liebevollem Beobachten der Natur entstanden die Motive, die Bilder der Hymnen. Der Hymnus, der um Mitternacht erklang, wird später in den von den irischen Mönchen gegründeten Klöstern, z. B. in Luxeuil, gepflegt. An den hohen Festen sangen die Mönche den sogenannten ambrosianischen Lobgesang, das «Tedeum» – «Herr Gott, Dich loben wir». Er soll auf Lérins entstanden sein und nicht auf Ambrosius zurückgehen.

Es leuchten jetzt im 4. und 5. Jahrhundert Namen auf, die in kurz zusammengedrängter Zeit als ein Schicksalskreis sich auf Lérins finden und das geistige Leben in Gallien bestimmen. Und wieder um dieselbe Zeit lösen sich diese Seelen von der Erde. So ist 450 ein Schicksalsjahr, in dem allein drei der Führenden die Erde wieder verlassen: Hilarius von Arles, Vincent von Lérins und Eucherius von Lérins, Bischof von Lyon, zwei Jahre zuvor der heilige Germanus von Auxerre.

So wie im Keltentum die geistige Führungsschicht, die Druiden, vielfach verwandt waren, das druidische Amt sich in den vornehmen Familien vererbte, so auch waren die ersten christlichen Führer, die gallikanischen Bischöfe, in den ersten Jahrhunderten oft untereinander verwandt, nicht nur geistesverwandt.

Aus den einzelnen gallischen Provinzen kamen Abordnungen nach Lérins, um sich dort aus der Gemeinschaft der Einsiedler ihre Bischöfe zu erwählen. So wird aus diesem ersten Schicksalskreis Eucherius Bischof von Lyon, Hilarius Bischof von Arles, Faustus Bischof von Riez, Lupus, der durch seine Geisteskraft den Attila vor den Toren seiner Stadt aufhielt, Bischof von Troyes. Salvian, der Geschichtsschreiber, wirkt später in Marseille, und vor allem Cassian, der Begründer der Abtei von St. Victor in Marseille, wohl der geistig regsamste, der mit dem kongenialen Faustus von Riez den Geisteskampf gegen die Gnadenlehre des Augustinus und gegen seine Prädestinationslehre führte.

Eine rätselhafte Gestalt steht in Cassian vor uns. Wahrscheinlich stammte er aus Skythien. Gennadius von Marseille, Geschichtsschreiber des 5. Jahrhunderts, gibt die Zeit um 360 als Geburtsdatum an. Cassian kam mit zwölf Jahren in ein bethlehemitisches Kloster. Dann, nach zwölfjährigem Leben bei den Einsiedlern der Thebäis, führt ihn der Weg nach Konstantinopel. Dort bleibt er bis zum Jahre 405, erwirbt sich nun in dem damaligen Kulturzentrum eine umfassende klassische Bildung und wird von Johannes Chrysostomus zum Diakon geweiht, wendet sich dann westwärts und, wohl aus der ganzen Stimmung der Zeit heraus, landet er auf einer Insel, auf Lérins – oder hatte er von Honoratus schon gehört?

Denn in den Wirren der Völkerwanderungszeit, in der sich auflösenden «alten Welt», im Untergang der römischen Herrschaft in Gallien und Germanien, bricht überall in den Seelen die Sehnsucht auf nach Stätten der Stille, und es fliehen viele Menschen auf die einsamen Inseln im Mittelmeer. So wird es z. B. von der Insel Capraria zwischen Korsika und Pisa berichtet. Bald versuchte nun Rom, auf diese Stätten der Versenkung Einfluß zu bekommen und sie sich anzugliedern. In diesem Sinne bekommt der Abt Eudoxius auf Capraria ein Schreiben von Augustinus. Auf der anderen Seite strömten orientalisch-christliche Gedanken und Lebensformen in diese Inselstätten mönchischen Lebens ein. So trägt Cassian die morgenländische Gedankenwelt, verbunden mit hoher klassischer Bildung, auf die Insel Lérins. Nachdem er die Insel wieder verlassen hat, gründet er 415 das Kloster St. Victor in Marseille. Nun beginnt ein reger geistiger Austausch zwischen Marseille und Lérins. Eines seiner Hauptwerke, die «Collationen», widmet Cassian «den Brüdern Honorat und Vincent», ein anderes Werk, die «Institutionen», dem Castor von Apt. Cassian, wohl im Mittelalter einer der meistgelesenen theologischen Schriftsteller, von Thomas von Aquin oft in seiner «Summa Theologica» zitiert, wird doch von der römischen Kirche als Irrlehrer gebrandmarkt. Seine Schrift über die Unterhaltungen mit ägyptischen Anachoreten, die «Collationen», sind eine Anweisung zu einer christlichen Gebetspraxis. In diesem Werk ist das berühmte 13. Kapitel die große Streitschrift gegen die Gnadenlehre des Augustin. In späteren Ausgaben, auch heute noch in modernen katholischen Ausgaben, wird das 13. Kapitel ausgelassen.

Cassiodor sagte von den Schriften des Cassian: «Man soll sie lesen, aber vor der Gnadenlehre darin sich hüten.» Ein Bild, das von Cassian gern gebraucht wird für den geistig strebenden Menschen, ist das Bild des Seiltänzers, der sicher auf schmalem Seil schreitet zwischen den beiden drohenden Abgründen – ein Bild, das schon im Keim den Freiheitsgedanken in sich trägt.

Cassians Gedanken werden nun intensiv aufgenommen von Faustus von Riez, dem dritten Abt auf Lérins, dem Nachfolger des noch von Honoratus eingesetzten St. Maxime. Und nun kulminiert mit Faustus der Kampf gegen Augustin, seinen Zeitgenossen, den großen Gegner von Lérins.

Faustus, geboren in der Bretagne – man weiß von ihm, daß er im Norden Galliens ein bekannter Advokat war –, verläßt plötzlich die Heimat und wandert nach Lérins; 433 wird er Abt von Lérins und 30 Jahre später Bischof von Riez. Eine viel verehrte und viel bekämpfte Persönlichkeit, von großer geistiger Beweglichkeit, verbunden mit keltischer Phantasie und Begeisterungskraft, so hat ihn seine Zeit erlebt. Und nicht nur in theologische Kämpfe verwickelt, auch politisch tätig, wird er vom Gotenkönig Euric 481 verbannt, kehrt 484 nach Riez zurück und stirbt bald darauf. Sein Todesjahr ist nicht bekannt. Auf Lérins wirkt Faustus besonders als Erzieher junger Menschen. In seinen Briefen über das mönchische Leben «Ad monachus» schreibt er: «Was wir hier suchen, meine Lieben, ist nicht Ruhe, ist nicht Sicherheit, ist der Kampf, ist der Streit ... Dieser Kampf, den wir unternommen haben unter so vielen Gefahren, er hat seinen Schauplatz in uns. Das ist das Motiv, das uns in diese ruhige Einsamkeit geführt hat – der spirituelle Kampf.»

Sein Hauptwerk «De Gratia Dei» ist die Kampfschrift gegen Augustin. In Augustin lebte das römische Streben, die christliche Entwicklung durch moralische Gesetze zu sichern, dagegen war das Streben der vom griechisch-johanneischen und vom östlich-asketischen Leben berührten Christen, durch Versenkung und Erkenntnis des menschlichen Wesens die Kräfte zu stärken, die das Urbild durch alle Wirren tragen konnten.

Und das Urbild des Menschen, so wie es in der Seele des Faustus lebte, ist der aus geistiger Freiheit lebende Mensch. Darum kreisen immer wieder seine Gedanken, die Freiheit als Wesensveranlagung des Menschen zu erkennen und gedanklich zu begründen.

Faustus unterscheidet im Menschen, dem Ebenbilde Gottes, die «Imago» von der «Similitudo». Nur die letztere ging durch den Sündenfall verloren, die erstere, die Imago aber, bestehend aus Willensfreiheit und Unsterblichkeit, kann nie verlorengehen, weil – so sagt er – der Mensch dann aufhören würde, Mensch zu sein. Und er fragt weiter: «Woher kommt es, daß der Mensch in doppelter Hinsicht, d. h. nach Seele und Leib, sich im Paradies vergangen hat und doch nur das Fleisch durch den Todeszustand die Strafe der Übertretung empfing, so daß nur ein Teil bestraft wurde, während doch die Schuld an beiden lag? Da muß man wissen, daß deshalb der Tod nicht bis an die Seele gelangte, weil der Herr in sie sein Bild und seine Ähnlichkeit gelegt hat.»

Und während Augustin sich in seiner Gnadenlehre gründet auf das Christuswort: «Niemand kommt zu mir, es sei denn, daß ihn der Vater ziehe, der mich gesandt hat», so entgegnet Faustus: «Kann der Mensch wie ein unempfindlicher und verstandloser Stoff von einem Ort zum andern gezogen werden? Nein, es ist vielmehr so, wie wenn ein Kranker aufzustehen versucht und die Kraft versagt ihm, da bittet er, daß man ihm die Rechte reiche, ihm zu helfen.» Also, der Mensch muß erst von sich aus kommen wollen, ehe die Gnade Gottes eingreifen kann. Und so ist für Faustus das Wort entscheidend, das der Christus an die Kranken am Teich zu Bethesda richtet: «Willst du gesund werden?» Und weiter gründet er sich auf das andere Christuswort: «Wer da hat, dem wird gegeben, daß er die Fülle habe.»

Um die Geistesart eines Faustus zu erleben, seine in Bildern sich aussprechende Gedankenbildung, mag hier aus seiner Streitschrift gegen die Augustinische Gnadenlehre, aus «De Gratia Dei» ein Kapitel folgen.[4] Faustus fragt sich, warum Gott den Menschen so geschaffen hat, daß er fähig ist zu sündigen:

4 De Gratia Dei, aus: Henri Moris, L'Abbaye de Lérins, histoire et monuments (Paris 1909).

Wenn er darüber einige Unruhe empfindet, möge sich der Zuhörende in den Augenblick versetzen, in dem der erhabene Schöpfer sich anschickte, den Menschen zu bilden. Um ihm ihren Beistand zu leihen bei der Erschaffung des Menschen und mit ihm zu beratschlagen, sind vier Wesenheiten um diesen erhabenen Schöpfer versammelt.

Wer sind diese vier Wesenheiten? Offenbar sind es die *Macht,* die *Güte,* die *Weisheit* und die *Gerechtigkeit* . . .

Nun . . . stellen wir uns, wenn wir es wollen, also vor, daß jede dieser Wesenheiten der Reihe nach das Wort ergreift und redet.

Die *Macht* spricht: «Nachdem wir die Reiche der himmlischen Wesen schufen, laßt uns nun ein Geschöpf machen, dessen Wunder erst auf einer späteren Stufe hervorbrechen, damit nicht gesagt werden kann, daß in diesem Gebiete unseres Reiches der Anfang gleich wie das Ende sei. Ja, lasset uns diesen herrlichen Bau des Weltalls vollenden, indem wir in ihm den Menschen schaffen, damit er, an die Spitze dieses Weltalles gestellt, sein Herrscher, sein Meister, sein Schmuck sei.»

Die *Güte* spricht: «Es wäre nicht gerecht, wenn allein der Himmel sich unserer Wohltaten erfreute. Lasset uns nun auch den Menschen auf der Erde erschaffen, damit wir ihm den Überfluß unserer Gnade schenken, ihm die Wohltaten unserer Liebe erweisen können, damit wir in ihn einströmen lassen können die Schätze unserer ewigen Güte.»

Die *Weisheit* spricht: «Lasset uns nicht damit zufrieden sein, ihn zu erschaffen, sondern laßt uns ihn erziehen durch den Sinn der Vernunft und durch das Unterscheidungsvermögen; laßt uns ihn erfüllen mit der Erleuchtung durch das Gewissen, laßt ihn uns einfältig schaffen, laßt ihn uns umsichtig schaffen: einfältig, damit er nicht die Listigkeit des Bösen habe, umsichtig, damit er sich nicht von ihr überraschen lasse. Laßt uns ihm die Liebe zum Guten, die Kenntnis des Bösen geben, und überlassen wir ihn, unserem Plane gemäß, seinen Entschlüssen und seiner eigenen mit Freiheit begabten Vernunft.»

Aber sogleich sagt die Weisheit, deren Gefährtin die *Vorausschau* ist, zu sich selbst: «Was sollen wir tun? Sollen wir ihn seinem freien Entschluß preisgeben? Ach, wir wissen im voraus, daß er sich dem Pfade der Sünde zuwenden wird, daß er die Gaben, mit denen wir unser Werk beschenken wollen, in Werkzeuge des Bösen umkehren wird. Wenn wir also wollen, daß unser Werk in ihm immer bestehe, laßt uns ihm die Fähigkeit, zu sündigen, entreißen.»

«Nein, nein», spricht die *Gerechtigkeit,* «es ist gegen unsere Gesetze, daß wir ihn hindern, seine Kraft beweisen zu können, wenn er sie nicht im Kampfe erproben kann. Es ist, sage ich, gegen unsere Gesetze, einem Wesen, das wir durch seine Verdienste verherrlichen wollen, die Gelegenheit und den Gegenstand seiner Verherrlichung zu verweigern und denjenigen, den wir mit unserer reinen Gnade belohnen wollen, zu hindern, etwas durch seine eigenen Verdienste wert zu sein. Laßt uns mehr tun ... Macht, schaffe du ihn inmitten dieser sichtbaren Welt, vor allem in dieser feindlichen Welt, die er bewohnen wird, zu einem erhabenen Geschöpf. Weisheit, gib du ihm die Klugheit zur Richtschnur. Güte, hilf ihm in seinen Kämpfen, und möge die Gerechtigkeit seine Siege krönen! Ja, laßt uns zu seinem Wohle und auch zu unserem Ruhme einen Menschen erschaffen, der durch seinen freien Willen und nicht durch die Notwendigkeit auf die Seite des Rechten gezogen wird und der, dadurch daß er das Böse durch seine Vernunft erkennt, das Gute vollendet durch seine Tugend. Lasset uns ihn so erschaffen, daß das Gute in seiner Natur liegt, aber das Böse außer ihm sei ..., daß er von Natur das Gute will und daß er das Böse tun kann, daß er freiwillig unsere Gebote befolge und durch sich selbst nicht stürzen kann, daß er endlich als höchste Stufe seiner Herrlichkeit die Fähigkeit habe, sündigen zu können und es doch nicht zu wollen.

Es ist schon genug, daß wir die Tiere, über die der Mensch herrschen soll, ohne Vernunft entstehen ließen, daß wir schon Wesen schufen, die die Früchte der Gerechtigkeit nicht ernten, da sie nicht irren können. Aber es darf nicht sein, daß wir denjenigen, in den wir den glorreichen Widerschein unseres Bildes senken wollen, dem Tiere ähnlich machen. Wozu dient dem Tiere seine Unschuld, dem Baume seine Fruchtbarkeit.

Ja, seiner Natur unterworfen, frei durch seinen Willen, vollkommen durch seine Vernunft, ist der ihm angemessenste Zustand der, daß wir ihm, ihn freilassend und ihm das Gesetz vorschlagend, die Gelegenheit geben, das Gesetz zu befolgen und die Möglichkeit der Wiedergutmachung ...»

Aber ohne der Gerechtigkeit Zeit zu lassen, ihre Rede zu beendigen, rief ihrerseits die *Voraussicht:* «Es wäre besser, das Menschengeschlecht nicht zu erschaffen, als daß wir es, wie es den Anschein hat, erschaffen, damit es zugrunde gehe!»

«So ist es nicht», antworten die *Güte* und die *Gerechtigkeit.*

«Soll es den frommen Abel nicht mehr geben um des ruchlosen Kain willen? Ohne das fortschreitende Verbrechen wird die Welt nicht mehr die Gerechtigkeit Noahs sehen. Ohne den Judas würden wir des Petrus beraubt sein ... Sollen wir um der Scharen von Gesetzesübertretern willen jene Generationen von Gerechten, jene Tausende von Märtyrern, das Königreich der Heiligen im Nichts lassen? ...»

«Nun», spricht die Güte, «so laßt uns doch das Menschengeschlecht so erschaffen, daß es nicht sündigen kann.»

Aber mit bedächtigem Tone antwortet ihr die *Gerechtigkeit:* «Wie können wir der Erde geben, was wir nicht dem Himmel gewährt haben? Wie sollte die menschliche Schwachheit das besitzen, was nicht einmal das Geschlecht der Engel erhalten hat?»

So ist es also, es war das Werk der Macht, daß sie den unsterblichen Menschen dem Nichts entrungen hat; das Werk der Weisheit, daß er teil hat an der Vernunft; das Werk der Güte, daß sie ihn zur Seligkeit bereitet hat; das Werk der Gerechtigkeit, daß sie ihm die Fähigkeit gegeben hat zu überlegen, bevor er einen Willensentschluß faßt.

Man ist versucht zu sagen: An diesem Hymnus von der Erschaffung des Menschen zu einem freien Wesen, dem «die Fähigkeit gegeben zu überlegen, bevor er einen Willensentschluß faßt», wird zugleich deutlich, daß Faustus in seiner Zeit untergehen mußte und mit ihm die gallikanische Kirche. Denn, indem er noch wie in einem mythischen Element in Bildern seine Gedanken ergreift, ist er dem schon auf der irdischen Ebene angelangten scharf geschliffenen römischen Intellekt nicht gewachsen, der auch hereinwirkt in den politischen Bereich. Etwas wie eine Judas-Auflehnung gegen ein freies, selbstloses geistiges Tun könnte man empfinden in dem Haß, mit dem Rom in Augustin sich gegen die Lérinische Geistesart wendet.

Durch einen neuen Menschen, eine große christliche Führergestalt, entsteht auf Lérins nun eine neue, aber zugleich tragische Entwicklung.

Als Caesarius von Arles 469 geboren wird, in dem Gebiete des heutigen Chalon-sur-Saône in der Landschaft von Lyon, besteht noch das weströmische Reich, doch ist es am Erlöschen. Im Rhône-Gebiet herrschen die Burgunder, von den Pyrenäen nordwärts bis zur Loire die Westgoten, die Franken am Niederrhein, die Alemannen am Oberrhein. Der Schwerpunkt des christlich-religiösen Lebens lag in Südgallien. Paris war noch schlafend, unbedeutend, Arles der Mittelpunkt des kulturellen geistigen Lebens in Gallien. Damals nannte man Arles «Klein-Rom». Noch im 6. Jahrhundert wird von Gladiatorenkämpfen in der großen Arena von Arles berichtet. Als an einem großen Handelsplatz der antiken Welt strömten viele bedeutende Menschen dort zusammen. Das ganze kulturelle Leben in Arles war durchdrungen vom griechischen Geist der Schönheit. In den Rhetorenschulen wurde klassische Bildung gepflegt. Als Caesarius starb, war ganz Gallien von Grund auf verändert. Das weströmische Reich war zerfallen, die römische Kultur im Erlöschen. Überall sind die Franken Herren des Reiches geworden. Die Westgoten waren an die Pyrenäen zurückgedrängt, die Burgunder von den Franken eingeengt. Innerhalb eines Menschenlebens hatte sich das Bild von Westeuropa völlig verwandelt.

Caesarius stammte aus einem vornehmen Geschlecht, das an der Führung im keltischen Gallien beteiligt war. Noch der Großvater des Caesarius war Druide. Die Verehrung von Quellen und Bäumen war dem Enkel noch tief eigen. Und diese Naturverbundenheit sprach später in den Bildern seiner Predigten. Doch wird Caesarius schon im römischen Geist erzogen und damit etwas in seiner Seele veranlagt, das später aufleben sollte. Bis zum 18. Jahr bleibt er im Elternhaus, dann, nach einem zweijährigen Kirchendienst in Chalon, flieht er heimlich aus der Heimat nach Lérins. Auf dieser Wanderung südwärts am Rhône-Fluß entlang muß der junge Mensch sehr stark die damalige Verkommenheit des noch aus früheren christlichen Missionszusammenhängen stammenden religiösen Lebens erfahren haben – die wandernden, plündernden, verwahrlosten Mönche, der Schrecken der Landbevölkerung überall. Diese Eindrücke geben dem Caesarius ganz bestimmte Impulse für sein späteres Wirken. Auf Lérins nun studiert Caesarius besonders die Schriften des Faustus, des Cassian und vor allem auch des Origenes. So wird er nun hineingenommen in die griechisch-morgenländische Gedankenwelt, wie sie auf der Insel lebte.

Lérins war ja damals die Herzkammer eines durch Freiheit impulsierten christlichen Lebensstromes. Mit dem Osten war Lérins verbunden durch den heiligen Antonius aus Pannonien, den Freund des Severin, des großen Heiligen, der in den Donauländern wirkte und starb. Nach dem Tod des Severin in Lorch kommt Antonius, der von Severin an Kindes Statt aufgenommen und erzogen war, nach Lérins und stirbt auch dort auf der Insel. Caesarius war noch zwei Jahre mit Antonius zusammen und empfängt die tiefsten Eindrücke von dem heiligen Mann.

Mit dem Süden ist Lérins verbunden einmal durch den Schüler des Johannes Chrysostomus, Cassian, dann durch Mönche, die immer wieder vom Süden her kamen und die Lebensformen ägyptischer Einsiedler zur Insel brachten. So die des Pachomius, der auf einer Nil-Insel lebte, eine Mönchsregel schrieb und dort 345 starb.

Vom Norden kommen irische und angelsächsische Mönche. Patrick, der Missionar Irlands, empfängt nach seiner zehnjährigen Schülerschaft bei dem mit Lérins verbundenen heiligen Germanus von Auxerre auf der Insel den Impuls, das Christentum nach Irland zu tragen. Daß dann Patrick 432 von Lérins aus nach Rom geht, um sich vom römischen Papst die Bestätigung seiner Missionsreise zu holen, sich von Rom beauftragen zu lassen, hängt wohl zusammen mit beginnenden Unsicherheiten Rom gegenüber, die einzelne Living Führer schon ergriff.

Neun Jahre bleibt Caesarius auf Lérins, und das bedeutet eine entscheidende Prägung seiner Seele in den Jugendjahren. Nach schwerer Krankheit auf der Insel und der Genesungszeit in Arles ist er anschließend in Bordeaux auf der berühmtesten Rhetorenschule und erwirbt sich mit Eifer eine umfassende klassische Bildung. Dann, als Dreißigjähriger, wird er Abt von einem Kloster auf einer kleinen Rhône-Insel nicht weit von Arles. Hier in dem verwahrlosten Kloster läßt er schon vieles von dem, was er in Lérins aufnahm, fallen und beginnt mit der ersten Fixierung einer Mönchsregel, an der er nun sein ganzes Leben weiterarbeitet, die er erweitert und von Jahr zu Jahr immer strenger faßt. Gleich in seiner ersten Regel werden die Mönche verpflichtet, das ganze Leben in ein und demselben Kloster zu verbringen, – was die benediktinische Regel später verlangt. Wahrscheinlich war diese Forderung der Versuch des Caesarius, die herumvagabundierenden Mönche, diese Landplage, aufzugreifen. Caesarius sah im Klosterleben vor allem die pädagogische Aufgabe, die Erziehung zu christlichen Lebensformen, und nicht in dem Maße die innere, die geistige Schulung, so wie sie auf Lérins lebte. Auch Strafen, Prügel, sind in seiner Regel veranlagt – wer lügt, erhält 39 Schläge, wer zu spät zur Andacht kommt, einen Schlag auf die Hand. Der Abt führt immer die Rute bei sich. Doch wendet sich Caesarius noch in seiner Regel stark an das Gewissen, an das menschliche Verständnis der Äbte – später in der Regel des Benedikt lebt auch noch ein anderes Element, es wird zugleich die Sicherung der Mönche angestrebt gegen eine eventuelle Willkür des Abts.

Drei Jahre bleibt Caesarius in seinem Rhône-Kloster, dann wird er zum Bischof von Arles gewählt. Seine Wahl ist höchst dramatisch und zeigt zugleich seine Bescheidenheit. Als Caesarius von dem Ergebnis der Wahl hört, flieht er und versteckt sich in einem alten römischen Grabmal: ein Zeichen, das wie sein Name nach Rom weist. In seinem 33. Lebensjahr steht er nun an der Spitze der gesamten gallikanischen Kirche, war doch Arles das christlich-religiöse Zentrum seiner Zeit in Westeuropa.

Als seine Hauptaufgabe sieht Caesarius die Seelsorge. In seinen Predigten – und er predigt zweimal am Tag in der Basilika, morgens und abends – geht er aus von Naturbildern, von Erlebnissen, die die Menschen damals nachempfinden konnten. Dreimal am Tag ist Hymnensingen in der Basilika. Auch führt Caesarius den Gemeindegesang ein. Der Gottesdienst dauert zwei Stunden und ist noch orientiert nach byzantinisch-liturgischer Form. Die Messe bestand – ähnlich der Form, wie Johannes Chrysostomus sie für den Osten fixiert – aus zwei Teilen: der sogenannten Katechumenenmesse und der Gläubigenmesse. Es wurde griechisch und lateinisch intoniert, abschließend dann immer das hebräische Amen, – also sprachlich die Christusvölker der damaligen Zeit umfassend. Die Gemeinde stand während des ganzen Gottesdienstes, doch durfte man sich einen Stab zur Stütze mitbringen. Und wenn es einmal geschah, daß Gemeindemitglieder vorzeitig, noch während der Messe, die Kirche verließen, sprang Caesarius auf von seinem Bischofsstuhl am Altar, brauste durch die ganze Kirche, lief hinter dem Fliehenden her, packte ihn am Ärmel und rief: «Was macht Ihr, meine Kinder, bleibt um Eurer Seelen willen hier und hört das Wort der Ermahnung sorgsam an.»

In seinen Predigten, an denen sich später Jahrhunderte noch schulten, betonte Caesarius nie die bischöfliche Autorität, sondern begann in größter Höflichkeit, die Individualitäten der Hörer damit innerlich voll anerkennend – am Schluß seiner Predigt dann noch einmal den Gedanken rekapitulierend und so den Seelen einprägend. Dann folgte der Predigt das allgemeine Kirchengebet und die Entlassung der Katechumenen. Damit schloß der erste Teil der Messe, um mit dem Ruf: «Die Türen, achtet der Türen», den zweiten Teil zu beginnen.

Aus den Formen der gallikanischen Liturgie sprach der Mysterienursprung der Messe. Es verhüllten drei Schleier die Substanzen, und neunfach wurden die Partikel der Hostie auf der Patene angeordnet, in den Stufen des Christuslebens. Gleich nach dem Tode des Caesarius bestimmte Rom die Anordnung der Partikel in Kreuzesform – eine tiefe Wandlung. Das Abendmahl wurde noch in beiderlei Gestalt empfangen. Aus Elfenbeintafeln wurden die Namen der Heiligen verlesen, mit denen sich die einzelnen Gemeinden verbinden wollten, was dann auch später durch Rom verboten wird.

Caesarius wird politisch denunziert, des Hochverrates angeklagt, er wolle Arles Burgund zuspielen, und darum vom Westgotenkönig Alarich II. nach Bordeaux verbannt, bald aber wieder zurückgerufen.

Es ist die Zeit größter politischer Umschichtungen. Die Westgoten wurden 507 von den Franken geschlagen und schließlich an die Pyrenäen und nach Spanien zurückgedrängt. Arles wird im Verlauf dieser Kämpfe von den Franken belagert, bis 510 Theoderich der Große ein Heer zum Entsatz von Arles heranführen läßt. 512 wird Caesarius wieder des Hochverrats angeklagt und diesmal nach Ravenna gebracht, um sich vor Theoderich dem Großen zu rechtfertigen. Theoderich ist tief beeindruckt von der Persönlichkeit des Caesarius und schenkt ihm einen goldenen Teller. Caesarius aber verkauft sofort das königliche Geschenk, um mit dem Erlös burgundische Gefangene loszukaufen. Der Gotenkönig ist weitherzig genug, den Verkauf seiner Gabe nicht als eine persönliche Mißachtung anzusehen.

Durch seine Gefangenenfürsorge und -hilfe wird Caesarius in Italien berühmt, und der römische Papst Symmachus lädt ihn nach Rom ein. Dort erlebt Caesarius das Machtvolle der römischen Kirche und sieht wohl darin auch die Möglichkeit, das kulturelle Leben von der Kraft einer mächtigen christlichen Organisation aus zu bestimmen. Und wiederum der römische Papst mag die Gelegenheit erkannt haben, durch die überall verehrte Persönlichkeit des Caesarius in Gallien Einfluß zu bekommen. So empfängt Caesarius als erster vom Papst das Pallium. Und während bis dahin die Autorität Roms in der gallikanischen Kirche nicht anerkannt war, geschieht jetzt durch Caesarius eine Wendung. 513 kehrte er nach Arles zurück.

Von jetzt an wird der römische Papst im Kirchengebet in Gallien genannt und Roms Autorität durch Caesarius anerkannt. Damit ist der

Sieg Roms vollendet. Die Bemühungen des Papstes Hormisdas, Nachfolger des Symmachos, durch Unterschreibung eines Dekretes alle Bischöfe der Kirche zur Anerkennung der Autorität Roms zu bringen, sind dann nur noch von sekundärer Bedeutung.

Jetzt nimmt Caesarius immer stärker Augustinische Gedanken auf, und es entsteht der Gegensatz zur alten gallikanischen Kirche – ein Abgrund reißt auf. Auf der einen Seite Caesarius, die Prädestinationslehre des Augustin jetzt vertretend, auf der anderen Seite die Leriner Schule, alle, die sich auf Faustus berufen, auf den letzten Verteidiger des freien Willens im Menschen.

Auf dem zweiten Konzil zu Orange 529, unter dem Vorsitz des Caesarius, wird die Augustinische Gnadenlehre als Lehre der Kirche festgesetzt. Aber in den Diskussionen schweigt Caesarius. Außerdem wird jetzt eine einschneidende Sitte von Caesarius begründet: Es sollten von nun an auf jedem Konzil die Beschlüsse des vorigen verlesen werden. Die Sitte beginnt mit Caesarius. Die vorher von Faustus geleiteten Konzile werden damit unterschlagen. Eine Kanonsammlung, also Zusammenfassung der Konzilbeschlüsse aus dem 6. Jahrhundert, beginnt mit den Worten: «Es beginnen die Kapitel des heiligen Augustin, welche von denen, die im Verdacht stehen, Manichäer zu sein, laut zu verlesen und eigenhändig zu unterschreiben sind.» Ein Zeichen, wie lange noch der Kampf gegen Rom in Gallien schwelte, zugleich aber ein Zeichen für das letzte Zerbrechen johanneischen Geistes in der gallikanischen Kirche.

Und war bis dahin jede Provinz in der Ausgestaltung des Kultus frei und dadurch noch eine Vielgestaltigkeit im liturgischen Bereich möglich, so wird auf dem Konzil zu Vaison 529 unter Caesarius die Vereinheitlichung der kultischen Formen beschlossen, doch erst unter Karl dem Großen ganz durchgeführt.

So geht die Selbständigkeit der gallikanischen Kirche mit Caesarius zu Ende. Der Kultus wird Rom unterstellt.

Das Jahr 529 ist für das Schicksal des Christentums in Europa ein tief bedeutsames, wird doch in diesem Jahr der Osten von der abendländischen christlichen Entwicklung abgetrennt. Kaiser Justinian schließt 529 die «Philosophenschule von Athen» und verhindert dadurch das weitere Einwirken griechischen Geistes im Abendland. Im Westen wird gleichzeitig durch die Festsetzung römischer Dogmen für das Abendland und die Auslöschung des Eigenlebens der gallikanischen Kirche das lebendige geistige Wachstum der frühen christlichen Kirche beendet. Rom bestimmt von nun an die Entwicklung der christlichen Kirche.

Was in der Seele des Caesarius vorging, wird vielleicht deutlich an seinem Verhalten auf dem zweiten Konzil zu Orange. Caesarius unterstützt die Festlegung der Augustinischen Gnadenlehre als gültige Lehre der Kirche und verurteilt trotzdem nicht, wie Rom es verlangt, die Anschauung des Faustus. Er schweigt. Er kann den Faustus, den er einmal so hoch verehrte, nicht persönlich angreifen und verurteilen. Es stieg wohl in seiner Seele seine Lériner Vergangenheit auf.

So steht Caesarius da in der Geschichte, eine tragische Gestalt, ausgehend von Anschauungen, wie er sie auf Lérins aufnahm, ausgehend von Gedankenwelten des Origenes und im gallikanischen Geiste lebend, die Freiheit des Menschen als zu seinem göttlichen Urbild gehörig verehrend. Dann, durch seine Erfahrungen in der seelsorgerlichen Praxis, gab er die Freiheit auf und führte ein römisches Ordnungsprinzip als das für seine Zeit noch notwendige durch, die alten Freunde liebend und verehrend und doch auf den Synoden die gegensätzliche römische Theologie vertretend und in Gallien damit begründend. Aus der Praxis heraus meint er zu sehen, daß die Augustinische Gnadenlehre ein christliches Andachtsleben stärker unterstütze und daß die Freiheit noch zur Zügellosigkeit führe. Immer einsamer werdend, arbeitet er in den letzten Lebensjahren vor allem an seiner Regel für Nonnenklöster und faßt diese Regel immer strenger (auf dem Konzil zu Agde 506 wird festgesetzt, daß Nonnen erst mit 40 Jahren den Schleier empfangen dürfen).

An Caesarius ist ablesbar, was Rudolf Steiner einmal aussprach, daß das römische Prinzip für eine Zeit die Weltentwicklung zu tragen habe. Der johanneische Impuls geht im öffentlichen Leben in Gallien unter. Caesarius stirbt 72jährig 542. Noch 100 Jahre nach seinem Tode lebt auf Lérins eine eigene Mönchsregel, die sich langsam selbständig entwickelt hatte und von der man zuerst auf dem 3. Konzil zu Arles hörte. Dann, 661, wird die benediktinische Regel auf der Insel eingeführt, nach harten Kämpfen, die sogar zu Blutvergießen führten.

Unterdes wurde der johanneische Impuls aufgenommen von den irischen Mönchen, den Peregrini, den wandernden Mönchen, die auf der Geistesachse Nord-Süd von Irland kommend den Rhein entlang wanderten. Sie verbanden sich in «Gebets-Verbrüderungen» mit den von Lérins einmal gegründeten Klöstern an der Rhône, im Wallis mit St. Maurice, in Burgund mit Romainmôtier u. a. Sie trugen das Evangelium bis nach Norditalien, bis auch sie, von Rom verfolgt, im 8. Jahrhundert untergingen. Doch wie das, was von Lérins ausging, nicht vergessen ist, spricht sich darin aus, daß heute noch in einzelnen südfranzösischen Kirchen die Namen des Cassian und des Faustus unter den Heiligen im Altargeschehen genannt werden, obwohl Rom sie als Ketzer verurteilt hat.

Im Verborgenen weiterfließend, steigt der johanneische Impuls im Verlauf der Geschichte hier und dort wieder empor. Ist es darum zu verwundern, wenn die hohe Kultur der französischen Minnesänger – Hort des Grals-Christentums in Europa – sich wieder auf Maria Magdalena beruft als der sie inspirierenden Gestalt? Und lebten die Katharer im 12./13. Jahrhundert nicht auch aus dieser johanneischen Quelle – und mußten untergehen?

Die Römische Kirche kennt wohl Zeiten schwerer Krisen, doch geht sie nie in den Tod. Anders der Weg der johanneischen Kirche. So wie im Ausgangsgeschehen die Tat der Maria Magdalena eingetaucht war in die Weihe der Todesnähe des Christus, so trüg auch die von dem johanneischen Impuls ausgehende christliche Kirche auf ihren Schicksalswegen das Zeichen des Todes an der Stirn. Doch die ihr innewohnende Kraft der Auferstehung läßt sie immer wieder in Zeiten geistiger Entscheidungen aus dem Verborgenen emporsteigen und neuer Christusoffenbarung dienen.

GÉRARD KLOCKENBRING

# Ergänzende Bemerkungen zur Darstellung des Impulses von Lérins

*Germanus von Auxerre*

Eine geschichtlich nicht ganz eindeutig geklärte Einzelheit sei erwähnt: Der irische Autor der «Vita S. Patricii», Colgan, berichtet, daß Patrick, vor seiner Aussendung nach Irland, längere Zeit als Schüler des Heiligen Germanus auf einer Insel in Gallien verweilte. Der Name der Insel ist fehlerhaft geschrieben, so daß es darüber drei Hypothesen gibt: Lérins, Arles oder eine Flußinsel auf der Yonne in Auxerre. Aber alle drei würden die Tatsache bestehen lassen, daß eine Beziehung zwischen Germanus von Auxerre und der Leriner Strömung bestanden hat. Denn als in Britannien sich eine tumultuarische Bewegung durch enttäuschte Pelagius-Anhänger verbreitete, wurde Germanus 429 durch eine gallische Synode zusammen mit Bischof Lupus von Troyes, welcher aus dem Kloster Lérins kam, vielleicht sogar Bruder des Vincentius und Schwager des Hilarius von Arles war, ausgesendet, um dort beruhigend und vermittelnd einzugreifen. Der Auftrag gelang ohne kritische Aufwallungen, weil die Lehre der Gallier und auch ihr menschliches Auftreten, obgleich rechtgläubig, so doch viel freilassender war als die Haltung Augustins. Der Papst Cölestin I. hat selber zugestanden, daß der Semipeligianismus, auch wegen seiner Unaufdringlichkeit, ausgeglichen und «brauchbar» sei. Diese Umstände werfen gewiß ein Licht auf die dokumentarisch wenig bezeugte Zeit der Entstehung der irischen Kirche, die ja vorwiegend eine Mönchskirche war. Sie zeichnete sich von Anfang an durch ihre klassische Bildung, ihre moralische Zucht, ihre freiheitliche Lehre, ihren Sinn für Kunst und kosmische Zusammenhänge aus.

Im Jahre 434, also vier Jahre nach Augustins Tod und drei Jahre nach dem Konzil zu Ephesus, wo Kyrill von Alexandria Nestorius wegen der «Trennung» der göttlichen von der menschlichen Natur hatte verurteilen lassen und wo er durchgefochten hatte, Maria als Gottesgebärerin zu bezeichnen, schrieb Vincentius von Lérins sein «Commonitorium», durch den er versuchte, die schon 432 durch den Papst Cölestin I. verurteilte Lehre der «Semipelagianer» doch noch zu retten.

Auch er wagte es nicht, direkt Augustins Ruf anzutasten. Vielmehr stellte Vincentius seine Lehre durch ihren Inhalt als solche hin, die der rechten Auffassung der Kirche widerspreche. Zunächst stellte er das Prinzip der Rechtgläubigkeit als Grundsatz fest. Dieses Prinzip ist tatsächlich von der Römischen Kirche aufgegriffen worden: Wir müssen das halten, was überall, allezeit und von allen geglaubt wird. Es sind die drei Kriterien von Universitas, Antiquitas, Consensio, die darüber entscheiden, ob eine Lehre «katholisch», das heißt: allgemein, für alle gültig ist.

Er führte alle möglichen Ketzerlehren an, um sich ausdrücklich von ihnen abzusetzen, ja sogar Origenes, den er über alles lobte – man spürt, daß hier seine Seele sich verwandt fühlte. Doch betonte er die Gefährlichkeit einiger seiner Sätze, die er aber nicht anführte. Er erwähnte dann eine Ansicht, die er auch zugestandenermaßen gerne teilen mochte, daß die ketzerischen Sätze bei Origenes nicht von ihm selber, sondern ihm unterschoben worden seien.

Dann wandte er sich energisch gegen alle Neuerungen, und obwohl er solche bei allerlei Ketzern zitierte, sieht man deutlich, daß er Augustinus meinte, als er jene Ansicht bekämpfte, die Gott für den Tod, die Verdammnis und die Schuldverstrickung vieler Menschen verantwortlich machen wollte. Es ist klar, daß die doppelte Prädestination damit gemeint war.

Seine Methode ging so weit, daß er den Brief des Papstes Cölestin I. erwähnte, den dieser gegen die Semipelagianer, als Neuerungssüchtige, geschrieben hatte, um ihm erst recht beizustimmen – weil er, Vincentius, die Augustiner als solche hingestellt hatte, so daß er andeutete, daß die

Verurteilung des Papstes gerade diejenigen traf, die sie als Waffe anwenden wollten.

Dies ist alles etwas umwunden und nur durch die unfreie Situation zu erklären, in die die ganze Auseinandersetzung unter dem Nachdruck des Augustinus gekommen war.

Doch zweierlei wäre aus seinen Ausführungen festzuhalten: Erstens das 28. Kapitel, in dem er wohl zugibt, daß die Glaubensregel wachstumsfähig ist, aber nicht durch willkürliche neue Zutaten, sondern durch Entwicklung der Elemente, die ihr innewohnen, und deren Verständnis organisch fortschreitet.

Der zweite aufschlußreiche Punkt ist das 21. Kapitel, wo er sich zum Begriff der «Maria theotokos», der Gottesgebärerin bekennt. Nur dadurch erscheint ihm die wahre Einwohnung des göttlichen Wortes gewährleistet, daß sie schon vor der Geburt, in der Empfängnis geschehen ist. Wieder wird das Ringen um die Tatsache erkennbar, daß nur im vorgeburtlichen Zustand eine menschliche Wesenheit sich ganz mit der Christus-Wesenheit durchdringen konnte. – So wie andererseits bei Nestorius darum gekämpft wurde, zu erkunden, wie die Christus-Wesenheit nur in einem vollen Menschen (seit der Johannestaufe und bis zum Tod) voll Mensch werden konnte. Das Fehlen einer voll ausgebildeten Anschauung des zweiten Adam lassen diese Ansichten als unüberwindliche Gegensätze erscheinen.

*Faustus von Riez*

Faustus – von dem man annimmt, daß er Abt von Lérins etwa zur Zeit wurde, da Vincentius sein «Commonitorium» schrieb – ging in seiner Schrift über die Gnade Gottes, wie erwähnt, einen gründlicher in Einzelheiten führenden Weg. Auch er vermied vorsichtig den Namen Augustins. Auch er setzte sich deutlich von Pelagius ab, von seiner Ableugnung einer Urschuld, an der alle Menschen Anteil hätten, und anderen Einseitigkeiten. Unmerklich ging er dann zu der Darstellung und Widerlegung anderer Einseitigkeiten über, die mit der doppelten Prädestination – zum Tod und zum Leben – impliziert sind. So deutete er die gnadenvolle Wirkung des Vaters, der (nach Johannes 6, 44) die Menschen zu Christus zieht, als eine solche, die allen Menschen gegeben ist, aber nicht von allen Menschen ergriffen wird. So betont er auch, daß die Gnade, die vom Opfer auf Golgatha heilend ausgeht, die Trübung und Schwächung des glimmenden Lichtes im Menschen wieder überwindet und daß die Gnade, die umwandelnd und heiligend im Fortschreiten des Menschen eingreifen kann, an sich wie leerlaufend wäre, wenn sie von dem Menschen nicht bejaht und ergriffen würde.

Schließlich unterschied er zwei besondere Gnadewirkungen. Die erste Gnade: die der Geburt, des natürlichen Daseins. Diese enthält auch die Fähigkeit, das Gute und das Böse voneinander unterscheidend zu erkennen; der Wille hat sich aber damit noch nicht identifiziert. Der Mensch ist *Imago Dei*, Gottes Bild, und als solcher noch Freiheit-befähigt. – Die zweite Gnade: die der Wiedergeburt, welche die *Similitudo*, Ähnlichkeit, Ebenbildlichkeit, mit dem Göttlichen anfänglich wieder herstellt und bis zu ihrer Erfüllung als Endergebnis führt. Ja, der Wille selber ist ein Ergebnis der Gnade, aber der ersten. Die Erlösung ist das Geschenk der zweiten.

Eine Unterscheidung machte er, die ihm diesen Schluß zu ziehen ermöglichte: «Die menschlichen Handlungen haben nicht ihren Grund in der Bestimmung des göttlichen Vorherwissens, sondern umgekehrt: Das göttliche Vorherwissen gründet sich auf die Beschaffenheit dieser oder jener erfolgenden Handlung des Menschen.» Hierbei kam er dem etymologischen Sinn des Wortes, das mit «Prädestination» übersetzt wurde, näher: «prohorizo» – ich schaue voraus, ich setze einen Horizont. Das Bild des verlorenen Sohnes taucht auf: Der Vater war lange vorher ausgegangen und hielt nach seinem in der Ferne weilenden Sohn Ausschau. Denn er wußte, er glaubte an seine Wiederkehr.

Nun gibt es noch eine erstaunliche Schrift von Faustus von Riez, die seinen Gegner Prosper von Aquitanien zu ironisch-sarkastischen Zurechtweisungen angeregt hat, die aber ein Gebiet seines Forschens offenbart, das gerade für sein innerstes Anliegen aufschlußreich sein kann: «Über die körperliche Natur der Geschöpfe».

Er führt darin aus, daß allein die göttliche Trinität allgegenwärtig ist: fähig, in alles einzudringen, alles zu erfüllen. Es sei dagegen die Eigenschaft des Körperlichen, nicht überall zugleich sein zu können, d. i. seine Räumlichkeit. Nun stützt er sich auf Aussprüche des Paulus in I. Korinther 15, um zu erwähnen, daß es auch himmlische Körper gebe, mithin geistig-qualitative Räumlichkeiten. So sieht man der Seele, die in einem Raum Bestand hat, eine gewisse «Körperlichkeit» an: Sie wohnt im Körper, auch wenn sie ihn dereinst verlassen wird. So war die Seele des Lazarus wohl «außer» dem Leibe und dann wieder «darin», sogar diejenige des Auferstandenen, die trotz ihrer Makellosigkeit auch hier oder dort wahrnehmbar war. Auch Teufel sind räumlich gebunden.

An diesen Gedankengängen, die von Dialektikern wie Prosper von Aquitanien oder Mamertus Claudianus mit Lächeln und Brillanz «widerlegt» wurden, gewahrt man doch ein hochernstes Ringen um eine Tatsache, die eben auch dem Paulus bekannt war, daß es nämlich eine höhere Leiblichkeit gibt, die nicht im physischen Raum sich kundgibt, sondern in einer qualitativen Ausdehnung und Begrenzung, die mit der Weite des Bewußtseins oder moralischen Kleinigkeit zu tun hat. Er suchte, mühevoll stammelnd nach Worten für ein ahnend-bewußtes Abtasten der Gestalt des «inwendigen Menschen»: Paulus mahnte, daß man ihn «anziehen» möge. Er ist die dem Menschen einwohnende Keimgestalt, die sich bis hin zur Auferstehungsleiblichkeit entwickeln und verdichten will.

### *Ausblick in die Folgezeit*

Was ist Gnade? Es ist die Erkenntnis, daß der Geist in sich selber besteht und daß er die Kraft ist, die den Menschen ergreift und umwandelt, ihn der Verstrickung in sich selbst entreißt und eine neue Gestalt in ihm veranlagt. Solche Erkenntnis drängt sich nicht auf. Sie wird der Einsicht, der Intuition offenbar. Dann gebiert sie sich in der Seele. Der Geist im All befruchtet den Geist im Menschen. Gnade und Freiheit erzeugen eine neue Wirklichkeit. Daß dies verdunkelt wurde, hatte schwerste Folgen, die andeutungsweise erwähnt werden sollen.

Im 7. Jahrhundert erhob sich der Islam, der absolutierte Fatalismus, die mechanisch vorgestellte Prädestination (Vorherbestimmtheit) im Schicksal. Der Mensch hat keinen Einfluß, weil die Kraft, die im Menschen das höhere Dasein individuell geboren werden läßt, geleugnet wird: Gott hat keinen Sohn.

Einige im Verborgenen lebende Gestalten der Geistergeschichte erlebten schon im voraus diese zermalmende Alpdruck-Macht und die sie überwindende Geistes-Sonne. Patrick erzählt in seiner Confessio, wo er nachts, von einem Felsen auf seiner Brust erdrückt, nur den Namen «Elias! Elias!» habe rufen können und dann ein inneres Sonnenaufgangs-Erlebnis gehabt habe, das ihm die Kraft zu seiner ganzen nachfolgenden Lebensaufgabe spendete. Solch eine Erden-Tod-Erfahrung schwingt in der spirituell sensiblen Geistigkeit der irischen Mönche, die im 7. Jahrhundert Europa wiederbelebten. Denn sie führten in das Credo wieder den Satz von der Höllenfahrt Christi ein, der seit den ersten Glaubensbekenntnissen vergessen worden war. Eine Gestalt wie die der heiligen Odilie wird durch ihren Legendenschreiber in Gegensatz gestellt zum arabistischen Einfluß durch die Erwähnung ihres Geburtsjahres um das Jahr 666[1].

Im 9. Jahrhundert erwachte der extreme Augustinismus in einem vom Schicksal schwergeprüften Mann, dem Mönch Gottschalk. Er wurde wegen seiner scharfen Betonung der Prädestination durch Hrabanus Maurus und Hinkmar von Reims verworfen. Jetzt entwickelte sich die Kirche semipelagianisch, doch mit dem Widerspruch, daß sie gleichzeitig dem damaligen bedeutendsten Vertreter der letzten irischen Weisen, Johannes Scotus Eriugena, vorwarf, der menschlichen Freiheit zu großen Raum zu lassen.

Im 13. Jahrhundert siegte Thomas von Aquin über Averrhoes (Ibn Rosch), den arabischen Gelehrten des Determinismus. Er wird aber von den franziskanischen Nominalisten (Bonaventura und seine Nachfolger) beinahe verketzert, um seines «gemäßigten Augustinismus» willen. Denn fortschreitend gewinnt der «schroffe Augustinismus» bei den Nominalisten Anhang. Im 15. Jahrhundert kommt der Prädestinationsgedanke wieder herauf – bei Luther gemildert, bei Calvin absolut und schroff. Und

1 Sie erlebte in der Taufe eine Wiedergeburt, die sie sehend machte, und widmete also dem Täufer Johannes ihre verehrende Liebe.

im 17. Jahrhundert erstehen die bitteren Kämpfe zwischen den Jansenisten als den Vertretern der absolut prädestinierenden Allmacht Gottes und den Jesuiten. Diese räumen wohl dem dualistischen Weltbild der endgültigen Scheidung zwischen Erwählten und Verworfenen eine zentrale Stelle ein, aber eben die restlose Aufgabe des Eigenwillens bewirkt eine Relativisierung der moralisch-freien Schöpferkraft.

Die große Frage wirkt sich weiter auf das Nachsinnen aus. Mit Fichte war eine gewisse Schwelle erreicht. Denn er entwickelte die Denkkühnheit, das Sein als reinen Begriff zu denken. Und aus diesem zuerst inhaltslosen, rein geistig-übersinnlichen Begriff, den zu denken eine geistige Tat ist, gewinnt er die Idee des absoluten Ich, das sich als lautere Tathandlung setzt.

Obwohl er dieser schöpferischen Tat eigentlich keinen anderen Inhalt zu geben vermochte, hat er doch die Fähigkeit erschlossen, von der Ich-Erfahrung des Augustinus in der Denktätigkeit zu der Tat fortzuschreiten, die aus freiem Entschluß entspringt, sich im Sein zu setzen, und dabei selbst das absolute Sein erlebt. So hat er dem Denken die Macht verliehen, zu der Erfahrung, einer noch unbestimmten, das Verstandesdenken übersteigenden Wesensvereinigung, die das Ziel der Mystiker war, in voller Bewußtheit zu gelangen. Er erreichte die Grenze zwischen dem an Raum und Zeit gebundenen Dasein und dem jenseits von Raum und Zeit wesenden Sein. Doch blieb diese Erfahrung noch einsiedlerisch ohne Bezug zu allen anderen Denk-Erfahrungen. Sie war doch eine Art Grablegung.

*Heute*

Als Rudolf Steiner erkannte, daß die Setzung des Ich als reine Tathandlung durch die Erkenntnistat vollzogen wird, durchbrach er diese Scheidewand und verband für das Bewußtsein das Ewige im Menschen mit dem Ewigen im Weltensein. Nun konnte der Mensch bei wachem Bewußtsein über das Denken denken lernen. Er kann das Gebiet in den Bereich der Erfahrung bringen, das bisher nur im tiefen Schlaf oder im Tod, bzw. in ekstatischen Zuständen berührt wurde; dem Menschen wird dann bewußt, wie sein Dasein rein aus gnadenhaften Geistkräften besteht und wie dieses gnadenhafte Wirken ihm als sein eigenes höheres Wesen auferstehend geschenkt wird.

Das Ich-Wesen des Menschen wird also jenseits aller gebundenen Seelenkräfte als rein geistige Seinsgestalt erfahren, die von Erdenleben zu Erdenleben in willenshaften Verwandlungen individuell fortschreitet. Dieses Ich geht rhythmisch ein in die göttliche Allwesenheit der Welt, die ihm die objektiven Gesetzmäßigkeiten des Karma enthüllt, mit denen es sich vorbestimmend identifiziert. Dann erprobt es wieder die so eingeatmeten Impulse am Widerstand der dem Fall unterliegenden Erbströmung und führt sie durch die Krise des individuellen Schicksals. Faustus von Riez hatte geschrieben: «Der freie Wille liegt nirgends als im Verstehen, in der Vernunft und Weisheit.» Diese Einsicht wird noch deutlicher in Rudolf Steiners Aussage: «Der aus Erkenntnis Handelnde ist frei.» Die Erkenntnis selber ist inhaltlich immer ein gnadenhaftes Empfangen. Aus altem Karma ist der Mensch vorbestimmt; im Erkennen ist er frei für neues Karma. In der Selbsterkenntnis lernt er sein Karma selbst verstehen und frei tragen.

Diese Menschenwesenserkenntnis, Anthroposophie, erweitert sich zu einer Welterkenntnis, Kosmosophie, indem aus dem Fokalpunkt, den sie bildet, das Mittelpunktsgeschehen der Weltentwicklung, das Mysterium von Golgatha, erfahren wird: Das ewige Geborenwerden des Sohnes aus dem Vater; der äonenhafte freie Entschluß des Sohnes, sich mit der gefallenen Menschheit zu verbinden; die drei kosmischen Vorstufen, durch die Er sich mit der reinen Menschheitsseele verbindet, die als zweiter Adam sich mit Ihm durchdringt; der Einzug in den Erdenmenschenstrom, der – durch Jahrtausende vorbereitet – Ihn in Jesus aufnimmt, so daß beide Ströme verschmelzen, um durch Tod und Auferstehung die Bildung der Geistgestalt zu ermöglichen, welche sich keimhaft dem empfänglichen Menschen mitteilt, die Brücke bildend zwischen Gottheit und Menschheit. Daraus erwächst die Möglichkeit, daß die aufwachende Freiheit des Menschen keine Einschränkung, sondern, durch Einsicht und Bejahung, eine «doxa», Verherrlichung, Offenbarung der göttlichen Allmacht wird. «Non nobis, Domine, sed nomini tuo da gloriam.»

# *Literaturverzeichnis*

Abbé Alliez: Histoire du monastère Lérins, 2 Bd. (Paris 1862).
Bardy, G.: Recherches sur St. Lucien d'Antioche et son école (Paris 1936).
Barralis: Chronologia sanctorum et aliorum virorum illustrium ad abbatum sacrae insulae Lerinensis (Lugdun 1613).
Bassenge, E.: Die Sendung Augustins zur Bekehrung der Angelsachsen (Dissertation, Leipzig 1890).
Benoit, F.: »Saint Germain d'Auxerre et son temps« (Auxerre 1950).
Bist, Th.: Spätrömische Charakterbilder (Leipzig 1919).
Eusebius von Cäsarea: Kirchengeschichte (Historia ecclesiastica), herausgegeben von H. Kraft (München 1967).
Clarus, L.: Geschichte des Lebens, der Reliquien und des Kultus der heiligen Geschwister Magdalena, Martha und Lazarus. (Regensburg 1861).
Cooper-Marsdin, A. E. The History of the Islands of Lérins (Cambridge 1913).
Creuzer, G. F.: Symbolik und Mythologie der alten Völker (Leipzig 1823).
Cristiani, L.: Jean Cassien, la spiritualité du désert (Paris 1946).
– Lérins et ses fondateurs (Paris 1946).
Delius, W.: Geschichte der irischen Kirche von ihren Anfängen bis zum 12. Jht. (München 1954).
Döllinger, I.: Beiträge zur Sektengeschichte des Mittelalters (Stuttgart 1890).
Elpelt: Vincentius von Lerina (1840).
Faillons, M.: Monuments inédits sur l'apostolat de Sainte Marie-Madeleine, en Provence etc. 2 Bde. (Paris 1848, Montréjean 1874).
Férand, R.: La vida de Sant Honorat (Nice 1875).
Ferguson, J.: Pelagius. A historical and theological study (Cambridge 1956).
Gregor von Tours: Historiae Francorum (Basel 1568). Deutsche Übersetzung, 2 Bände, herausgegeben von R. Bucker (Darmstadt 1955/56).
Goux (Abbé) P.: Lérins au 5ᵉ siècle (Paris 1854).
Greith, C. J.: Geschichte der altirischen Kirche (Freiburg 1867).

Hauck, A.: Kirchengeschichte Deutschlands Bd. 1, 1887 (5. Aufl. Leipzig 1911).
Harnack, A. v.: Mission und Ausbreitung des Christentums in den ersten drei Jahrhunderten (4. Aufl. Leipzig 1924).
Heussi, K.: Der Ursprung des Mönchstums (Tübingen 1936).
Heyer, K.: Geschichtsimpulse des Rosenkreuzertums (2. Aufl. Kreßbronn 1959).
Jacobi, J. L.: Die Lehre des Pelagius. Ein Beitrag zur Dogmengeschichte (Leipzig 1842).
Kaphahn, F.: Zwischen Antike und Mittelalter. Das Donau-Alpenland im Zeitalter St. Severins (München 1947).
Koch, H.: Vincenz v. Lérins und Gennadius. Ein Beitrag zur Literaturgeschichte des Semipelagianismus. Texte u. Untersuchungen Bd. 3 herausgegeben von O. v. Gebhardt und A. Harnack (Leipzig 1907).
Kolon, B.: Die Vita S. Hilarii Arelatensis (Paderborn 1925).
Konstantius: Vita des Germanus von Auxerre (Autissiorensis) in: Monumenta germaniae. Historica Scriptorum Rerum merovingicarum (Hannover/Leipzig 1919).
Lacordaire, H. D.: Sainte Marie-Madeleine (Paris nouv. éd. 1902). Deutsche Übersetzung: Die Heilige Maria-Magdalena, nach der 2. Auflage (Regensburg 1861).
Levison, W.: Bischof Germanus von Auxerre und die Quellen seiner Geschichte (1904).
Lietzmann, H.: Geschichte der alten Kirche (4. Aufl. Berlin 1961).
Los, C.: Die altirische Kirche, Urchristentum im Westen (Stuttgart 1954).
Meslin, M.: Saint Vincent de Lérins. Le Comonitorium (Namur 1959).
Moreau, J.: Die Welt der Kelten (Stuttgart 1958).
Moris, H.: L'Abbaye de Lérins, histoire et monuments (Paris 1909).
Moris, H., und Blaue, E.: Lérins. Cartulaire de l'abbaye de Lérins (Paris 1883-1905).
Nigg, W.: Das Buch der Ketzer (Zürich 1949).
Pasolini, P. P.: Ravenna und seine großen Erinnerungen (Straßburg 1930).
Pfeilschifter, G.: Der Ostgotenkönig Theoderich der Große und die katholische Kirche (Studien zur Kirchengeschichte Bd. 3, 1896).
Pierrugues, L.: Vie de Saint Honorat fondateur de Lérins et évèque d'Arles (Grasse-Cannes 1874).
Plinval, G. de: Pélage, ses écrits, sa vie et sa réforme. Etude d'histoire littéraire et religieuses (Lausanne 1943).
Rahn, O.: Kreuzzug gegen den Gral. Die Tragödie des Katharismus (2. Aufl. Stuttgart 1964).
Ricci, C.: Ravenna (Bergamo 1907).
Schaafhausen, F. W.: Der Eingang des Christentums in das deutsche Wesen (Jena 1929-1931).

Schiwietz, St.: Das morgenländische Mönchtum 3. Bd. (Mödling/Wien 1904/38).
Schreiber, G.: Iroschottische Wanderkulte in Westfalen (Westfalia Sacra II, hrsg. v. H. Börsting und A. Schroer, Münster 1950).
Sicard, M.: Sainte Marie-Madeleine, Sa Vie. Histoire de son culte, 2 Bde. (Paris 1905/06).
Stein, W. J.: Das 9. Jahrhundert (3. Aufl. Stuttgart 1977).
Steiner, R.: Das Christentum als mystische Tatsache und die Mysterien des Altertums, 1902 (Rudolf Steiner Gesamtausgabe GA 8).
– Die Mysterien des Morgenlandes und des Christentums, Vorträge 3. bis 6. 2. 1913 (GA 144).
– Geschichte des Mittelalters bis zu den großen Erfindungen und Entdeckungen. Vorträge 18. 10 bis 20.12. 1904.
– Bausteine zu einer Erkenntnis des Mysteriums von Golgatha. Vorträge 6. 2. bis 8. 5. 1917 (GA 175).
– »Die dreifache Sonne und der auferstandene Christus«. Vortrag 24. 4. 1922 in London (GA 211).
– »Ausbreitung des Christentums in Europa«. Vorträge 15. bis 26. 3. 1924 (in GA 353).
Sulpicius, S.: Das Leben des Heiligen Martin, Bischofs und Bekenners (Freiburg 1940).
Tellenbach, G.: Studien und Vorarbeiten zur Geschichte des großfränkischen und frühdeutschen Adels. (Forschungen zur oberrheinischen Landesgeschichte, Bd. 4, 1957).
Timerding, H.: Die irisch-fränkische Mission (Jena 1929).
Todd, J. H.: St. Patrick (Dublin 1864).
Wattenbach, W.: Deutschlands Geschichtsquellen im Mittelalter bis Mitte des 13. Jahrhunderts (Weimar 1952 bis 1963).
Weigel, G.: Faustus of Riez (Philadelphia 1938).

JAKOB STREIT

# Sonne und Kreuz

## Irland zwischen Megalithkultur und frühem Christentum

Ca. 220 Seiten mit ca. 60 Zeichnungen und 40 Abbildungen auf Tafeln.

Woher die Impulse der irischen Mission kamen, liegt immer noch im Dunkel. Auch die Wissenschaft ist heute der Auffassung, daß die Ursprünge der iroschottischen Kirche nicht auf Rom zurückweisen. Den wenigen Anhaltspunkten ist Jakob Streit nachgegangen, und er kommt zu dem Ergebnis, daß in Irland eine ganz eigenständige, geistig hoch bedeutende Strömung des Christentums gepflegt wurde. Besonders überraschend aber sind die deutlichen Zeichen dafür, daß die Schulungspraxis der vorchristlichen Kelten, des Druidentums, sich nahtlos mit diesem frühen Christentum verbunden hat.

Den Ursachen des schnellen Untergangs dieser reichen kulturellen Epoche geht Streit nach: dem Machtanspruch der römischen Kirche als alleinigem «Stellvertreter Christi» vermochte sich die dem brüderlich-friedfertigen Schulungsweg verpflichtete iroschottische Bewegung nicht zu widersetzen. Das gilt für Pelagius, den großen Prediger des Mittelmeerraumes, ebenso wie für die Auseinandersetzung mit Bonifatius oder die Romanisierung in Irland selbst.

Ein eigenes Kapitel des Buches mit zahlreichen herrlichen Fotos ist den irischen Steinkreuzen gewidmet. Auch in diesen gewaltigen Monumenten hat sich der Zusammenschluß von keltischer Kunst der Flechtbänder mit der Bild- und Gedankenwelt der frühchristlichen Strömung niedergeschlagen.

## STUDIEN UND VERSUCHE

Eine anthroposophische Schriftenreihe

1 Wege und Irrwege in die geistige Welt
Von FRIEDRICH HUSEMANN, 37 Seiten

2 Meditation als Erkenntnisweg / Bewußtseinserweiterung mit der Droge
Von WALTHER BÜHLER, 2. erw. Aufl., 55 Seiten

3 Die Schicksale Sigmund Freuds und Josef Breuers
Von KARL KÖNIG, 56 Seiten

4 Die Pflanze als Lichtsinnesorgan der Erde
Von GERBERT GROHMANN, 60 Seiten

5 Der rosenkreuzerische Impuls im Leben und Werk von Joachim Jungius und Thomas Traherne
Von ERNST LEHRS, 68 Seiten

6 Von dem ätherischen Raume
Von GEORGE ADAMS, 64 Seiten, 6 Bildtafeln

7 Naturwissenschaft an der Schwelle
Von HANS BÖRNSEN, 48 Seiten

8 Shakespeares «Kaufmann von Venedig»
Von W. F. VELTMAN, 32 Seiten

9 Idee und Denken
Beiträge zum Verständnis der Philosophie des deutschen Idealismus mit besonderer Berücksichtigung von Kant, Fichte und Hegel.
Von BERTHOLD WULF, 51 Seiten

10 Der Isenheimer Altar / Die heilenden Kräfte in Raffaels Werk / Rembrandt
Drei Vorträge von FRIEDRICH HUSEMANN, 40 Seiten, 3 Abb.

11 Individualismus und offenbare Religion
Rudolf Steiners Zugang zum Christentum.
Von CHRISTOPH LINDENBERG, 63 Seiten

12 Symbol und Metamorphose in Goethes «Stella»
Von ANDREAS AMWALD, 40 Seiten

13 Die vier Äther
Von ERNST MARTI, 47 Seiten

VERLAG FREIES GEISTESLEBEN

# SAMUEL LOGAN BRENGLE

## TEACHER OF HOLINESS

*by*

Alice R. Stiles

CHALLENGE BOOKS

*First Published* 1974
*Second Edition* 1980
ISBN 0 85412 355 5

BRIGADIER ALICE R. STILES, MA, BEd,
is an American Salvation Army officer who has
served in India for thirty-four years, at
present being Training Principal in Maharashtra,
in the Western India Territory.

With acknowledgments to
Clarence W. Hall author of
*Samuel Logan Brengle, Portrait of a Prophet.*

*Made and Printed in Great Britain for
The Salvation Army, Queen Victoria Street, London EC4P 4EP, by
The Campfield Press, St. Albans, Herts.*

## CONTENTS

## FOREWORD

A LARGE four-wheeled wagon, pulled by horses, and covered with canvas, moved slowly across a great plain. In the wagon, and tied under and around it, were many things. There were beds, chairs, a chest of drawers, a table, pots, pans, kettles, axes, farming tools, seed and food supplies. All the things that a family would need for starting life in a new place were carried on that wagon. A man and a woman sat on the seat in front. A little girl and boy sat high within the wagon, on top of the family possessions. Another little boy rode a horse outside. A family was moving.

Each night, they would make camp. The children would gather sticks and soon a fire would be lit. When the food was ready they would eat together. Then, before they went to sleep, mother would read from the Bible.

One night, mother read from the book of Genesis. One verse interested one of the lads. '. . . Look now toward heaven, and tell the stars, if thou be able to number them: And He said unto him, "So shall thy seed be"' (Genesis 15: 5). The reading was explained in simple language. Abram, listening to the call of God, is to become the father of children, spiritual children. There would be so many that they would be like the stars in number.

The little boy could not understand. Like the stars? How could that be? That night, lying on the ground under the blankets, he looked up at the stars. The words of the Bible reading turned and twisted in his mind. The man Abram—doing God's will—becomes the father of many people—like stars. What does it mean?

The boy lying under the stars did not, could not know that he, too, would have spiritual children like the stars for number. For this boy was Samuel Logan Brengle. It is his story we hope to tell in this book. If through reading it you come to know and love God better, you, too, will become one of his spiritual children.

## CHAPTER ONE

### *The Beginning*

THE year of Samuel's birth was 1860. At that time America was very different from what it is today. It was still a developing country. There were wide areas that were not well settled. Life was very rough. In 1860, Abraham Lincoln had just been nominated as a candidate for President. And, though no one knew it, the American Civil War was soon to begin.

In 1860, in Gateshead, England, a young minister and his wife were praying together. God was calling them, with their four small children, to leave the work they were doing in the Methodist Church and to take the good news of God's saving love to people who did not know Him. Their names were not yet known to the world, but they were William and Catherine Booth. They could not know that, in America, a boy was being born, whose life was to influence greatly the work they were about to start.

It was June 1, 1860. William Nelson Brengle was a school-teacher in the village of Fredericksburg, Indiana, in the United States of America. He was known as a strict teacher and respected as a good man. He had charge of the Sunday-school in the Methodist Church in the village. His wife had been a pupil of his—Rebecca Ann Horner. To this young couple was born a son. They named him Samuel Logan Brengle.

Civil war came to the United States. Little Samuel was two years old when his father went to war. As time passed the little boy was proud to hear stories of his father's courage and ability. But he saw other women weeping, and heard his mother speak of some of his playmates as orphans, and of their mothers as widows. Then Sam's father came home, an invalid. He lived only a short time. One day, Sam was held in his mother's arms while she explained, ' Papa has gone to be with God.'

For two-and-a-half years mother and son lived alone. When father had first gone to war, mother had started to teach, in his place, in the school. After school, she and Sam took long walks together through the woods and along the river banks. They picked berries, gathered nuts, and listened to the songs of birds. Sam's mother told him that these things spoke to her of God, of peace, and of another world. They reminded her, she explained, of the words of comfort and promise from the Bible, whose stories she read to him every evening.

For mother and son, life was happy. Sam ran errands for his mother. He filled the wood box and cleaned the ashes from the fireplace. He carried water from the well in a small bucket, and he helped to wash the dishes. With his mother's small earnings from her teaching, plus the small pension, life was comfortable.

One day Sam's mother told him she was to

be married again. The man who would take his father's place was a good man. He was a doctor. He had two small children, a boy and a girl, who would play with Sammy. Life would be better for them both, she said.

But in that place, in those days, being a doctor did not bring much money. Soon Sam's stepfather was talking of farming. A number of moves took them from one farm to another.

It was during one of these that Sam heard about God's promise to Abram. As young Samuel thought about God's promise, he did not know that God was preparing him also to be father of many of God's own children. As we continue this story, let us watch for God's hand in the little as well as the big things that made Samuel Logan Brengle the man of God that he became.

Life on the farm was difficult. Work had to be done even before the sunrise. School was held only three or four months of the year. The bad weather of winter made farm work impossible and that was the time for education.

Through cold snow up to his knees, Sam walked to the rough school house. Here he trembled from cold and from fear of the teacher's stick, while he studied the 'Three R's' (Reading, 'Riting, and 'Rithmetic). There was a big fireplace for which the boys had to roll in huge logs. Those who sat near the fire were too hot. Those who sat far away shivered in the cold.

Sam loved games and sports. His muscles

were hard from the work of the farm. He tested their strength in wrestling. Soon he was known as the strong boy of the neighbourhood. Sometimes other boys would challenge him. He liked to take on two at a time. He would knock one down, throw the other on top of him, and then sit on them both.

The theory of education in rural schools in those days was 'No lickin', no learnin''. Teachers looked on the rod as the cure for stupidity. Sam, too, had his beatings; and what was worse, when he was punished at school, he had a second beating when he came home.

Teachers came and went. One day Sam had a new kind of teacher. He was a young man, twenty years old, with a kind face and a new method of discipline. On the first day, after taking the attendance, he smiled at the class and said, 'I will not make any rules. All of you have been to school before. You know what to do, how to act. We must have order and quiet to do our school work. You understand that. Let us be kind to each other and we will have a happy time together.' That night Sam told his mother about the new teacher. She said, 'You see, Sammy, that's the difference between law and grace.'

Law and grace? Sam thought about it. Law meant the teacher making rules and temptation to break them. Law meant beatings and resentment; more beatings, more resentment. Grace meant no rules, but respect and love. Every pupil was on his honour.

Under law the teacher was an enemy whom they were all happy to annoy. Under grace he was a friend they all wanted to please.

Outside of school, in the remaining nine months of the year, Sammy learned to plough, to pull grass for the animals, to harrow, to chop wood with an axe. He knew the feel of aching muscles. He knew, also, the feel of blistered hands, and the joy of sleep after long hours of work. Sammy knew the sounds, smells, sights of the farm and of the forest. He learned to love the beauties of each season. He learned, too, the ways of animals, both wild and tame. He watched the cow as she chewed her cud. Years later he remembered that cow and from her gained a good illustration on 'meditation'.

Life on the farm was dull and lonely. It had a sameness. Things were done over and over again. There were the same few people to see, hear and talk to. There was the same food to eat day after day. There was the same daily labour and the same tired feeling at the end of the day.

Sammy learned to know silence, the silence and loneliness of the wilderness and the farm. Silence and loneliness taught him to find companionship in books and in his imagination. He did not have many books. There was the Bible and a few others, including *Pilgrim's Progress*, Plutarch's *Lives* and Dickens' *Pickwick Papers*. From his reading and re-reading, Sammy learned a love of words, phrases, musical sentences. After reading he often took down the big Webster's Dictionary and found it fun to play with words and their meaning. There were many words to think about: short words like 'law' and 'grace', and longer words like 'predestination' and 'sanctification'. These he would think about under the blankets at night.

So Sam was a boy with few things. He had a monotonous, hard-working life. Yet he had an inner eye that could make pictures in his head, and an inner ear that could hear and enjoy and think about words and their meanings. These later helped to make him a preacher of power, able to make real the terrors of hell and the joys of heaven.

## CHAPTER TWO

### *Boyhood and Call*

SAM grew up in a Christian home. He was taught to pray. He learned Bible stories from his mother. He went to church and Sunday-school. He saw people converted and leading changed lives. From his early training he grew up with a reverent fear of God. This fear of God kept him clean. But he was no saint. Within him were the same leanings to evil that are in any boy or girl. Sometimes his temper flamed up like fire. One day, he said hot words of anger to his stepfather. His mother, standing near, said nothing. She only looked at him. But that look made him sad. Fifty years later he still remembered it.

One rainy day, an older boy told Sam and his stepbrother some 'dirty' stories. Later his mother questioned him, and in shame he hid his face in her dress and told her. She made him promise that he would always lead a clean and pure life. 'Never be afraid to say "No" right out. If they laugh, let them. If you keep pure and good you will have the last laugh.' The advice helped him to resist temptation, but the desire to yield was often present, and he was afraid.

The idea that conversion would change his desires and help him in time of temptation, first came to Sam at a Methodist Church meeting in the autumn of 1872. He always enjoyed listening to preachers, or speakers of any kind. He loved their use of words. But suddenly, in the middle of this sermon, the preacher's face seemed to become lighted with glory. Sam forgot the words and thought he would like to be a Christian. But no call was given.

Several months later, at a revival meeting, a call was given. Sam and his school friends were sitting on a back bench. When the call was given, Sam stood up and went to the altar. He knelt and prayed. Nothing happened to him. He had no thrill, no special feeling. But Sam wanted to be converted. Each night, for the next five nights, he went to the altar. He was only a boy, and no one came to help him. The fifth night was Christmas Eve. That night his mother knelt beside him. She said little, but told him he should trust. He still had no feeling. When asked to testify, he did not know what to say. He used words that he had heard others use.

Weeks passed. One night, as he walked to church with his mother, Sam spoke of his conversion. Suddenly there came to his heart a feeling. It was a sense of peace and quiet blessedness. Sam knew that God had accepted him.

For months Sam felt joy in living his new life before his friends. Then, one day, there was a quarrel. Sam forgot he was a Christian. He hit another boy an angry blow. In Sam's soul the light went out. He felt sin in his heart. Only after much sorrow and prayer did forgiveness and peace come again to his heart.

Sam found working hard and keeping busy a help against temptation. He had joined the church. He read the Bible every day. He spent much time in preparing for his Sunday-school lesson. One day, when the Sunday-school teacher was absent, fifteen-year-old Sam was asked to take his place. Later he became assistant leader of the Sunday-school.

Sam had now begun to go to high school. This was fifteen miles away, so he had to live away from home. One Saturday he felt very lonely and longed to see his mother. He hired a horse and rode home. He stayed there that night. In the morning he kissed her good-bye. Her parting words to him were, ' Be a good boy, won't you Sammy? ' He rode away. At the bend of the road he turned to wave farewell. The next Wednesday Sam received a telegram, ' Come quick. Mother is dying.' He started on his way home. When he was still a mile away a neighbour stopped him. He was too late. His mother was dead. Sam was now alone in the world, without relatives. In the months and the years ahead he had no place to call home. He was often lonely, silent, brooding and sad.

Years before, Sam's own father had left some money for him. This he now used for his college expenses. His first act on arriving at the college was to join a church. He regularly attended during his college career. He soon became a Sunday-school teacher in the new church. During the years he led the class, he built it up into a lively and large group. Sam helped every member of that group into a saving knowledge of Jesus Christ.

However, Sam's chief interest was not the church, but oratory (public speaking). Sam spent hours in study and practice for speeches. He worked with his voice, and he practised gestures. For years he used to sit at a piano or organ, for hours at a time, striking the keys and trying it out with his voice. Thus he developed a deep, fine, flexible voice. He was also always careful in his choice of words.

There was a lonely shed at the edge of the college grounds. A group of people passing near stopped to listen. They heard moans, excited speech, gasps, tender pleading and groans. They stood frozen to the spot, while more and more people gathered there. Then someone whispered, 'He's either dying or mad.' Looking inside they found Sam Brengle. He was practising a speech. The night he delivered it, he was so dramatic that some women in the front row almost fainted.

One of Brengle's speech teachers told him something he was always to remember: 'Brengle, if you are to be an effective speaker, you have to keep a good conscience. If there is anything false in you, it will be like a crack in a bell. The tone will be spoiled . . . people will know it because somehow you won't ring true.' Brengle remembered this along with his mother's charge to keep himself pure. After that he was more careful of his thought and conduct than before. This was not for God's sake, but for the sake of his oratory.

During his college years, Sam Brengle won many prizes and was praised as one of the best orators of the school. He also began to think about what his life work would be. He thought of law. So many good things seemed to come to lawyers. This included posts in government. Thinking of law he often remembered what a professor had said to him: 'Sam, if you ever become a lawyer, you will go to hell.' Asked why, the professor replied: 'Because you want to win. You cannot bear to lose. If you go into law you will sacrifice your convictions for success.' These words worried Sam.

If not law, what? Preaching? He could not say he had a call, but there was an urge. Also, he remembered that he had been told that his father had dedicated him to the ministry when he was a baby.

But law seemed to offer most of the things he wanted: fame, position and wealth. He wanted men to know his name all over the country. He wanted a lasting fame. So, he would go in for law.

In the years from 1879 to 1883, while he was attending DePauw University, what was Sam Brengle like? He was known as a good orator. He was also known for his sense of fun. Many stories were told of Sam's practical jokes. In his first year he was invited, along with other freshmen students, to the oratorical exhibition of the second-year students. As Sam and his young friends entered the hall, each bore on his shoulder a large unabridged dictionary. These they solemnly opened to be prepared to understand the speeches of the evening. Another time, Sam and a friend chose to discipline a student who came in late every night. He always made such a noise it disturbed those who were sleeping. One cold winter night, Brengle and his companion went to the fellow's bed and turned back the covers. They poured sticky sugar syrup between the sheets. As usual, the boy came in late. He jumped into his bed! After that he gave no trouble.

Some said that Sam was proud. He was very careful of his personal appearance. Some said he was a snob. They said that he did not like to walk down the street with anyone who was poorly dressed. But there was the story of his friendship with a crippled student at whom the others laughed. Brengle often walked down the street with him. Teased by other college students, Brengle explained that one of the first lessons his mother had taught him had been: 'Always treat an unfortunate person with kindness. Never laugh at a deformity.'

Room-mates told of religious discussions that lasted till late at night. Many told how he dealt with them about their souls. He testified to them of his own conversion. He urged them to pray and give themselves to God.

One of Sam's best friends was A. J. Beveridge, later a U.S. Senator. Beveridge and Brengle shared the same ambitions. They planned to practise law together, to enter politics and to remain close friends. But somehow Brengle could not forget his leanings toward the ministry, or the fact that his father had dedicated him, as a baby, for this task.

In the fall of 1882 Sam Brengle was in his last term at the university. He was chosen as a delegate to a convention. An important matter was to be debated. Delegates from another university told him they were determined to oppose the matter. In his room Brengle worried. The honour of his university depended on him. He went out and walked the streets. He returned again to his room and threw himself on his knees. He seemed to gain nothing by prayer. Again he walked the streets and returned to kneel and pray. The thought of preaching came to him. He tried to put it from his mind. A battle took place in his heart. At last he prayed, 'O Lord, if Thou wilt help me to win this case, I will preach.' The whole room seemed to fill with light.

The next day Brengle won a great victory. He went back to the university and told his friend, Beveridge, of his experience. He said, 'You see, Beveridge, I've got to preach.' For an hour they argued and Beveridge said again and again, 'Sam, you'll be a fool to become a preacher.'

Brengle now began to prepare for the ministry. He took preaching engagements and spent much time preparing sermons. These attracted much attention.

Graduation day came. Brengle was granted his degree of Bachelor of Arts. His friend,

Beveridge, went with him to the train. As Sam was leaving his friend said, ' I'd give a fortune if I could be as sure of being in the United States Senate, as I am that you will be a bishop.'

## CHAPTER THREE

### *Pentecost*

BRENGLE's first appointment was not the little city church a friend had promised. Instead, he was appointed to serve four small country churches. Winter or summer, in sun, rain or snow, he had to ride horseback from one of these places to the next. In each place there were his people to visit and meetings to conduct. He was at first disappointed. Many years later, he thanked God that he had had this difficult ministry. He said, 'Among the uncultivated farmers I learned the foundations of true preaching: humility and simplicity.'

There was a revival in each of the four churches during the year he served them. It was not easy. At first it seemed that no one was interested. He had to visit every home. Only after hard work and prayer did he see revival. Each time it resulted in a crowded church and many in the village being converted.

As Brengle rode on horseback from one place to the next, he had many things to think about. One unpleasant memory troubled him a great deal. Just after his graduation he had sat an examination to be accepted as a Methodist minister. He sat the exam alone in a small room. One or two questions worried him. A book was in the room. He yielded to the temptation, and used the book to refresh his memory. When the marks were published, his were the highest. Listen to his own words about this dark period of his life:

'I had won the highest marks, but I felt that I was the lowest and meanest man in creation. I looked in the mirror, and I wanted to smash the face I saw there. I walked down the street, and I was ashamed of the company I was in. Seeking God, that thing came up before me like a mountain. The Lord said, 'Confess it!' I said, 'But, O Lord, if I should confess that, it would become known and spoil my whole future. Everyone would despise me. I would never hear the last of it. Wherever I went people would say "Here is the man who won by cheating."'

Brengle went through a long time of soul-struggle. At times he wished that he had never been born. But he had been. He felt a hypocrite, and he could imagine his shame on the Day of Judgment. Finally he said, 'Lord, I will confess it, whatever the consequences!' His own account of the matter follows:

'I wrote a letter to the examiner. I told him the whole story: "I don't ask any mercy. Do what you please with this letter. I am just seeking self-respect and God's favour." I dropped that letter into the mail box and when I knew it was gone, a great burden began to drop off my soul. In a few days a letter came from the examiner. I opened it with fear and trembling, thinking, "I guess he will tell me what he thinks of me." He did: "Brengle, I always liked you, but I think more of you now than I ever did." I don't think he ever spoke of my wrong deed to a living soul. He became Governor of Colorado, and later was Chancellor of Denver University. Twice when I was in his state, he introduced me . . . as a friend and brother. . . . But he never presented me as the young man who cheated in an examination.' So victory came again to Sam Brengle's own soul.

* * *

When Samuel Logan Brengle had finished his first year as a preacher, he decided to study at a theological seminary. So he moved to Boston.

Here he became interested in the Bible teaching concerning sanctification. He found that this was called by many names: 'Holiness, Sanctification, Perfect Love, the Second Work of Grace, Baptism of the Holy Spirit, Blessing of a Clean Heart', etc. As he studied the Bible on this subject, and discussed it with other students, he himself desired this experience.

Brengle saw it as more than just a gift from God. He saw that the Holy Spirit was part of God himself, a Person, whom he did not possess. He wanted a whole God. He studied. He prayed. He examined himself. He saw that only empty hands can grasp a whole God. He saw his pride and thought of the humbleness of Jesus. He examined his own unclean heart in the light of the purity of Jesus. He realized his ambition and the lowliness of Jesus. He knew his own unholiness, and the holiness of Jesus. He says, 'I got my eyes off everybody but Jesus and myself, and I came to hate myself.'

At first in Brengle's seeking, selfishness and ambition entered in. He thought, 'With the Holy Spirit, I can be a great preacher.' In this way he thought that he would be glorifying God. Then he saw that God could best be glorified by winning sinners. He thought, 'With the Holy Spirit I can have an appointment in a big church and so win many.' But as he prayed he saw that this was selfishness. He then said, 'Lord, if you will only sanctify me, I will take the poorest appointment there is!' Then he thought that even in that poor appointment he could be a great preacher, but the Holy Spirit showed him this was still selfishness and ambition.

Finally Brengle prayed, 'Lord, I wanted to be an eloquent preacher (using fine words and beautiful sounding sentences) but, if by stammering and stuttering, I can bring greater glory to Thee than by eloquence, then let me stammer and stutter!' Here was the final step in surrender to God. So hungry was he for the experience of sanctification that he was ready to put his greatest ambition on the altar. Later he said, 'I was willing to appear to be a failure if only God would cleanse me and dwell in me!'

Now Brengle really expected to feel the presence of the Holy Spirit. Nothing happened. Hands and heart were still empty, empty and hungry, empty of self. How was he to get the blessing?

Suddenly in his ear he heard words, old and well known but with new meaning: 'If we confess our sins, He is faithful and just to forgive us our sins, and to cleanse us from all unrighteousness' (1 John 1: 9). The words seemed like a bright light, and he knew that he must receive the blessing by faith, knowing that God is 'faithful and just'. Quickly he dropped his head on his arms and prayed, 'Lord, I believe that,' and a sense of peace filled his soul.

Less than half an hour later, he returned a book to a friend. His friend asked, 'What has happened, Sam? You look different.' Others noticed the difference.

A few days later he preached in a nearby church from Hebrews 6: 1: 'Therefore, leaving the principles of the doctrine of Christ, let us go on unto perfection.' In his sermon he told of his personal experience. People were moved, and said that they too wanted this holiness.

It was two mornings later that the joy welled up. All nature seemed to be different. He wept for joy and praised God. He felt he loved the whole world. He loved the strangers he passed, the small children, the birds, the dogs and horses. He even loved the little worm in his path.

Forty years later Brengle still testified of the experience. He said, 'God did all that for me, bless His holy name! Oh, how I had longed to be pure! Oh, how I had hungered and thirsted for God . . . the living God! He gave me the desire of my heart. He satisfied me! I consider my words—He satisfied me! He became my Teacher, my Guide, my Counsellor, my All in All!'

Concerning this glory experience Brengle later said, 'I have never doubted this experience since. I have sometimes wondered whether I might not have lost it, but I have never doubted the experience, any more than I could doubt that I had seen my mother, or looked at the sun, or had my breakfast. It is a living experience.

'In time God withdrew something of the emotional feelings. He taught me I had to live by faith and not by my emotions. I walked in a blaze of glory for weeks, but the glory slowly lessened. He made me see that I must run instead of mounting up with wings. He showed me that I must learn to trust Him, to have confidence in His unfailing love and devotion, regardless of how I felt.'

News of Brengle's sanctification spread. He testified to it in his words and in his life. His friends saw the difference in him. And the difference showed in his preaching. Preaching was no longer to show the beauty of his words and speech. It was no longer a profession. It was a passion. His desire was to exalt his Saviour. Before people had said, 'How wonderfully he speaks!' Now they said, 'How great is my sin, my need of a Saviour!'

of the hall. No other was available. Public meetings were held on the street, the quarters served for knee-drills, soldiers' and holiness meetings. In addition, financial troubles arose. There was no salary and no money to pay rent for the quarters. Among the soldiers, some who had refused to come up to the high standard the Captain had set stirred up trouble. Scarlet fever broke out and the quarters were quarantined for two weeks. What a time of trial! Yet his spirit remained calm and peaceful.

During this period of troubles, one of the soldiers, a young man named Elijah, spent a night with Brengle in the quarters. The next day, Elijah reported to the other soldiers, 'He went to sleep praising God, and he awoke praising Him!'

That was Taunton—an average corps of the time. After five months came Farewell Orders and a move to South Manchester. He was to serve three weeks while the officer was on furlough. His first impressions included: 'The prettiest town I ever saw, and I believe this is about the best corps I ever saw. More than sixty soldiers were in the march yesterday. It was a sight to see them. Most of the women had on plain blue dresses, and most of the men were in uniform.'

Pleased with these outward signs, he still looked deeper and saw the need: 'They need holiness very much. Some have stood just as long as they can without it. Some have begun to lose power through the lack of it. I trust God has sent me just in time.'

So Brengle determined to stress holiness during his three weeks there. The results lived as long as the memories of those soldiers survived. With but few exceptions, all the soldiers were sanctified during his stay. Another result was a new rule adopted by the band: that no man might play unless he professed and possessed the blessing of a clean heart.

Moving from South Manchester to Danbury was like moving from a green meadow to a dry desert. Mrs. Brengle was at her home, preparing to welcome their first child, so he went to Danbury alone. He found the corps in debt. His one assistant was a lame Lieutenant. His two soldiers were a huge negro named George Ashington and a little hunchback girl. The quarters, four small hot, stuffy rooms, were barely furnished. There were stacks of unsold and unpaid-for copies of *The War Cry*. Worst of all, Brengle learned that he had come just after a bad scandal. That scandal made it almost impossible to get crowds or financial support. Things were difficult, more difficult than they had been at Taunton. But the spiritual victories he had won earlier helped him at Danbury. He faced the debts and scandal. He marched the streets with his two soldiers. He lived joyfully in his quarters. He went about the work of the corps with holy 'vim and verve' (energy and enthusiasm).

Slowly his efforts bore fruit. Attendances increased. Sinners were saved. Soldiers were enrolled. Two months after taking charge he wrote that they had had eleven in the open-air meeting and that the attendance was not less than fifty each week. He added: 'The Lord is surely working on the hearts of the people, and we will reap the fruits of our labours.'

He was not without temptation, however. One night, marching down the street with his Lieutenant and the two soldiers, they bravely sang, 'We're an Army that shall conquer!' Suddenly they came in front of a large Methodist church. He saw the wide front and the tall spire. In his heart a voice said, 'You fool, you! You might have been the pastor of a great church like that!' For a moment his voice weakened. Only for a moment. Then he remembered all God's dealings with him and, smiling, he continued his singing.

Three and a half months later came Farewell and Marching Orders: 'You are appointed as officer-in-charge of Boston Number 1 Corps.' Captain Brengle experienced a feeling of faintness. He had thought himself ready for any appointment. But the thought of going to Boston, and to this corps in Boston, had never come to him.

He remembered the building. It was on a narrow, noisy side street in the worst section of Boston. A low class saloon was across the street. The quarters were a small space partitioned from the hall, almost without furnishing. Only a cloth curtain separated the bed from the rest of the space.

Brengle remembered these details from the days, when as a young preacher, he had often, upon entering the hall, seen the poorness of the quarters. Then he had thought, 'How can civilized people live in such a place?' This was the corps, and this was the place to which he must take his frail wife and their month-old baby.

Also, in Boston, he had many friends. They were bound to meet. Some would come to his meetings. They would see the poor hall and quarters and they would think, 'How are the mighty fallen!' Boston No. 1 seemed a Calvary for which he was not prepared.

Almost immediately Brengle felt ashamed of his thoughts. He questioned in prayer why he should feel like this. He wondered if he was proud. He remembered, as though in reply, Paul's reply to his friends who did not want him to return to Jerusalem: 'What mean ye to weep and to break mine heart? for I am ready not to be bound only, but also to die at Jerusalem for the name of the Lord Jesus' (Acts 21: 13).

That was enough. 'Dear Lord,' Brengle prayed, 'I too will be faithful. I am willing not only to go to Boston, and to suffer there if necessary; but I am willing even to die in Boston for Thee!'

Brengle went to Boston. With Mrs. Brengle and their little child, he lived in the small quarters. Drunkards came into the hall from the saloon across the street. Sometimes there were fights and broken seats. But there were other meetings that were times of blessing. There were monthly all-day holiness meetings to which many church people came, and were blessed.

Some friends turned their faces away when they saw Brengle. One came from miles away to beg him to give up his work in the Army: 'Sam, you are wasting your time. Your children will have to wear second-hand clothes. They will have no privileges. They will curse you when they are grown up. Come back to the ministry where you belong.'

But other old friends said, 'God bless you, Brother Brengle! He will bless you. He will bless any man who has followed Him as faithfully and made the sacrifices you have made in joining The Salvation Army.'

One night, a drunken man was acting in a way to disturb the whole meeting. Brengle asked him to leave. He wouldn't. So Brengle gently walked him out. The man waited outside the door. When Brengle came out again he threw a large brick at him. It struck him with full force and smashed his head against the door post.

For days Brengle lay close to death. He then spent many months as an invalid. But he was not completely inactive. It was during this time that he began to write for *The War Cry*. He wrote articles that were later put into a book, *Helps to Holiness*. This book was to be translated into many languages and to bring blessing to people all over the world. Sometimes, someone would mention to Brengle what a blessing the book had proved. He would always smile and say, 'Well, if there had been no brick, there would have been no little book.'

Later, Mrs. Brengle painted a text on the brick. It was chosen from the story of Joseph, whose brothers had sold him into Egypt: 'As for you, ye thought evil against me; but God meant it unto good . . . to save much people alive' (Genesis 50: 20).

When Brengle got better, he began to lead a few meetings and held appointments as District Officer, then as Divisional Secretary. Always he preached holiness.

Finally came an appointment that he would have chosen many years before, if he could have had his choice—National Spiritual Special. But he was to thank God many times for the way he had been led. Every step had contributed to his development and to his understanding of the problems and difficulties all people face. The path had been winding. Sometimes it had been shadowed. Some steps had been difficult. But God had been in it all and had led him.

In his diary Brengle wrote: 'And Samuel grew, and the Lord was with him, and did let none of his words fall to the ground. And all Israel from Dan even to Beer-sheba knew that Samuel was established to be a prophet of the Lord' (1 Samuel 3: 19, 20). What earthly honour or fame can compare with this! What dignity to be . . . 'a prophet of the Lord'.

## CHAPTER EIGHT

### *God's Prophet*

DURING the thirty years following his appointment in 1897 as 'Spiritual Special', Brengle's name and message became a part of the hearts and lives of people the world over. He entered into this new task with a passion to feed the hungry, and he soon realized how nutritious the gospel was to both rich and poor, learned and illiterate. He also soon saw that his field was larger and more fertile than when he first joined the Army.

He was amazed at the loving welcome he experienced everywhere. Expressions of gratitude for blessings received reached him constantly. In his diary he wrote, 'These expressions humble me while they fill me with gratitude to God. O Lord, help me to be worthy!' And in a letter to Mrs. Brengle he said, 'Oh, Lily, the joy and glory of helping people!'

However, all was not joy and glory. This task, too, meant sacrifice and self-denial, Brengle's travels meant long months away from home. Only for brief periods could he return to his beloved wife and his little children. Also, where other evangelists had large groups of helpers, Brengle, for the most part, had the help only of one young officer. Further, he sometimes found that advance advertising and preparation for his campaigns were neglected.

But Brengle remembered always that Jesus had worked with individuals as well as with the crowds.

Another difficulty he faced was that his time in each place was often far too short. At first he was tempted to feel that a lasting work could not be done in such short time, but he later realized that he had failed to remember the power of God's word. He found, too, that the work once started grew. Those blessed, in turn blessed others. Even today, men read and preach his sermons. They tell his stories in places he never visited. Thus his words go on winning victories for the Lord.

What preparation did Brengle make for his preaching? Asked by a busy officer how he would prepare if he had but ten minutes, he replied that he would spend the time in prayer. Brengle's whole life had been a preparation for preaching. He explained how he prepared for his sermons by preparing his own heart. For this he found prayer and Bible study the important factors. He felt that many folk made the mistake of spending more time in preparing their addresses than in preparation of their own 'hearts, affections, emotions and faith'. The results, he said, were beautiful words without warmth.

The Bible had a large place in his preaching. One hearer said, 'This man is a walking, talking edition of the Bible.' This is the secret of the tone of authority in his words. His public reading of the Bible made it come alive as he would break off to put in questions or remarks.

His notes were few—on the back of an envelope or a scrap of paper. He often used no notes. He never used other men's sermons, but relied on inspiration from God.

In Brengle's latter years it was noted that he confined himself to a few topics only. He had found that there were certain needs and conditions common to all groups and communities. However, one who often heard him preach commented that he was for ever introducing new thinking and fresh illustrations.

Another part of his preparation for preaching was his wrestling in prayer. His meetings were, to him, fields of battle. He battled for the souls of those who were to hear him. These battles were in secret, but the results were seen in souls winning their own battle.

In the actual meeting, Brengle used a simple order of service, encouraged meaningful singing, and as a rule preferred congregational singing to solos or duets. On the platform he used a conversational style of speaking. He felt that this was most effective for all classes of people. It was noted that he showed a vast knowledge of human nature, and of the human heart. This knowledge he had gained through his study of the Bible and of his own heart.

His eyes, with their changing expression, held the attention of many. Children, who loved his meetings and to whom he always gave special attention, commented on his face. One lad, returning home from a children's meeting asked, 'Mamma, did you ever see God?

Well, I saw a part of God in the face of that man who preached.' In one meeting, a deaf woman, able to hear nothing, sat in the front row. Near the end of the meeting she was sobbing. During the prayer meeting she moved to the Penitent-form. Her daughter, kneeling beside her, motioned the question, ' Did you hear the sermon? ' The deaf woman's reply was: ' No, I heard nothing. But I saw Jesus in that man's face.'

Another important reason why Brengle could hold the interest of his audience was his use of word pictures in preaching. He also used illustrations from life. His illustrations were always an important part of the sermon, not just to fill in time. This he had learned from his study of how Jesus told simple stories.

To illustrate neighbourly love, Brengle would call attention to his two hands, saying, ' The best neighbours I know anything about are my two hands. They have lived on the opposite sides of the street for many years, and they have never had a quarrel. If my left hand is hurt, my right hand immediately drops all other business and rushes across the way to comfort it and to help it out of its trouble. If one happens to hurt the other, the hurt one doesn't get angry and . . . fight. No. They are good neighbours. My two hands are members of one another. And Christians should be like that. They are members of Christ's body. They should be as loving, as forbearing, as sympathetic and helpful toward each other as are my two hands.'

The gospel Brengle preached has been described as a gospel 'balanced between the goodness and severity of God'. It was a gospel that had a message for all, saint, backslider, sinner. One writer said, 'The Commissioner's many years of walking with God have served to clarify his vision of Calvary and intensify his passion for lost souls. . . . He has not grown revengeful, hard or severe. He has not become narrow, nor yet loose. He has maintained a workable balance between justice and mercy, between law and love, between condemnation and compassion.'

In all of Brengle's preaching and his teaching the Penitent-form was his goal. At times he would do away with the sermon. If people did not come to the Penitent-form, he would get them to kneel elsewhere, even by the door. Brengle found this leading of souls into the Kingdom the most joyous occupation on earth. In each soul renewed in Christ he experienced again the thrill of his own conversion, and with each comrade sanctified, he lived again his own Pentecost. But it was a physical drain, as he said: 'The prayer meetings exhaust me more than preaching. . . . I understand the spirit of a mother in travail . . . (but) oh, the delight of bringing a soul to new birth!'

Outside the Army, as well as in it, Brengle was well received and was always in demand as a speaker. Many colleges and theological schools were proud to have him address their assemblies. At his own university (DePauw) he was well received. He never got over his wonder at this. In 1909 he wrote in his diary, ' In a nice letter from Dr. Gobin, vice-president of DePauw, I am told the university is proud of me as a Salvationist. Why, when I joined the Army I thought they would almost want to blot my name off the alumni register! ' His surprise was even greater when in June of 1914 DePauw called him to her chapel to receive the degree of Doctor of Divinity. He found it difficult to believe that at a class reunion his classmates were agreed that ' Brengle was the greatest success of the class '. And when told on a Founder's Day that a noted speaker had included him among the two most outstanding alumni of DePauw, he refused to believe that anyone could ' make such a mistake '.

Brengle was held in high regard everywhere. Why? What was the secret of this? By submitting his heart to the Holy Spirit he had become God's man. So he brought something new and fresh and attractive to the world's religious life. And the world, hungry-hearted, thirsty and footsore in its long search for Christlikeness, beat a path to his door.

CHAPTER NINE

## *Retirement*

JUNE 1, 1931, and in a room at his daughter's home, Commissioner Samuel Brengle sat writing. He was preparing messages to be given to young people at a series of summer camps. He was preparing messages, yet on that day he was officially retired.

Three years before, in a book titled *Ancient Prophets*, Brengle had written a chapter on retirement. Giving thought at that time to what many called the 'abyss of retirement', he had written: 'But what is an abyss? Will it swallow me up, and shall I be lost in its dark and silent depths? Is it not, rather, a sun-kissed, peaceful slope on the sunset side of life, where my often overtasked body can have a measure of repose? Is it not a place where my spirit, freed (in part) from the driving claims of war, can have a foretaste of the Sabbath calm of eternity?'

Continuing, he said, 'I do not expect to fold my hands and sit in listless idleness of vain repining when I am retired.' So, he had set out a programme for himself. He said that he would, 'Pray more for my comrades who are on the field and in the thick of the fight . . . meditate more . . . and read and ponder my Bible more, and try to interpret the life that surges all around me. . . . Then there are letters I can write to struggling officers on the field . . . letters to missionary officers . . . letters to those who are bereaved, to those . . . in pain and weariness and . . . loneliness.'

Brengle himself knew the meaning of bereavement and loneliness. In March, 1915, as he lay recovering slowly from two painful and serious operations, word had been brought to him that his wife lay dying. Afterwards he described his feelings:

'A thousand times, in distant lands and lonely hours, I have been stabbed by the thought that possibly my darling might die before I could cross oceans and continents and reach her side. Now, lying only a hundred miles away, she was dying—and I was at the point of death and couldn't go to her. It seemed as though my heart would break. It seemed as though God didn't care. But I did not go by appearances. I had preached all round the world that God does care, that all things do work together for good to them that love the Lord. I didn't cast away my confidence and charge God foolishly. I was very weak, but I took my Bible and song book and I read the promises and rested upon them. I read hymns of comfort and guidance and heaven . . . I said, "O Lord, Thou knowest how I love my darling and how desolate I shall be if Thou dost take her, but I don't know what is best for her, or for the dear children, or for myself. Thy will be done." And peace entered my heart.'

Three weeks later, while she still lingered, Brengle was permitted to leave his bed and to go to his wife's side to be near her in her last earthly hours. He was still weak with pain and weariness. But for days he sat near her. He prayed with her, quoted Scripture, recited verses of hymns they loved, including one she had written:

And when my day on earth is done,
  Heaven's morning breaks and shadows flee,
When just before me waits Thy Judgment Throne,
  Earth's last dread hour, I'll spend, my Lord, with Thee.

A few days before the end, her hands became swollen. It was necessary to cut away their wedding ring. Inside were revealed the words Brengle had had engraved twenty-eight years before: 'Holiness unto the Lord.' Their motto, their covenant, their pledge to one another, was still speaking in 'this last dread hour'.

On Saturday, April 3, Lily sank rapidly. She was unable to respond to anything said to her. Brengle spent hours bending over her, quoting their beloved texts to encourage her faith, if she could hear. At last, at three o'clock, as he bent over her, he repeated a question he had asked her many times: 'Are you trusting Jesus, darling?' This time, faint, but unmistakable, she made answer with one word: 'Yes.' It was her last word. In less than half an hour came the peaceful end.

A few days later, Brengle wrote about it: 'She fell asleep in Jesus as peacefully and unafraid as ever her tired babies fell asleep in her mother-arms. Oh, it was beautiful! It was not a struggle . . . but a sweet, quiet, peaceful passing. A passing out of weakness and pain into fullness of life; out of shadows into unutterable glory and light; out of our presence into the open vision of her Lord. I could not for the present follow, but the blessing . . . I seemed, and still seem, in some divinely consoling (comforting) sense to share.' Thus he wrote in the night of his loneliness and loss.

Messages of sympathy and assurance of prayer poured in upon him from all over the world. A few days later, anxious as always to share with others, he wrote for *The War Cry*, concerning his experiences:

'God so helped me at the last that, when I looked into that deep grave where we buried her, it seemed more like a resurrection than a burial. There was no sting. The grave had no victory. It was only receiving the broken alabaster box of her worn little body, while her sweet spirit, like Mary's precious ointment, was with Jesus. The perfume of her blessed life was all about us. There was a babbling brook of happiness in my heart the day we were married. There was an ocean-current of bottomless joy and fathomless peace in my soul as we buried her. God had set Himself to comfort me. . . . I seemed, and still seem, upborne on a sea of blessedness that floods and pulses through all my soul, and in which the surges of my grief and my tears are constantly lost.'

Realizing that some might not understand this attitude, he continued: 'What is the secret of all this blessedness, this triumph (victory) over all that death can do? Some will say, "It is unnatural"; but I am now writing to my comrades—Salvationists and Christian friends—whom I trust will say, "It is supernatural." It is above nature, it is divine. It is heaven begun below. It is the work of the "other Comforter" whom Jesus promised should come. . . . It is the hand of the Father, stretched forth through the veil to wipe away tears and bind up broken hearts. The secret is salvation, the salvation of our God through repentance, renunciation of sin, and faith in a crucified and risen Saviour; and the blessing of a clean heart, filled with His Spirit, received and kept by obedient faith'.

Three-and-a-half months later he wrote: 'If only God's people could look upon their greatest loss as possibly their one and only supreme opportunity throughout an eternity to prove their love and loyalty and to magnify their Lord! Instead they . . . faint and rebel. If they would look up and rejoice, and count it joy for His sake, how it would confuse the devil, and astonish hell! It would rebuke unbelief, and fill the world with light.'

Such spiritual victory, however, did not make him immune from loneliness. Memories of the past and its sweetness cannot be blotted out. Her influence stayed with him, but her spiritual presence could never make up for her physical absence. So in his letters we read paragraphs like the following:

'And now . . . back to my empty nest.

Eleven years ago the archer came and shot down my sweet mate, and the last birdling has flown away to a nest of her own. Deep silence has fallen here. There was much love and laughter and merry and affectionate joking. There is no love in the mere four walls of a house, so I have to look up, rather than around, for love. Thank God, there is love, love fathomless, love everlasting up there. Through obedient faith in the Lord Jesus, it comes down into my heart, and I have peace, sweet peace.'

And now he entered into retirement without her and, having passed through the experience, one of his self-appointed tasks was to be the writing of letters to those who were bereaved.

But he saw a greater field even than this, and continued: 'I shall find plenty to do. If I can't command a corps or a division, or take part in councils, or lead on great soul-saving campaigns I can talk to my grocer, and doctor, and letter-carrier, about Jesus crucified and glorified, and about the life that is everlasting. I can wear my uniform and go to my corps, and testify. I can still take an interest in the children and young people . . . and out of the books of my experience find some helpful life-lessons for them. In doing this, I shall hope to keep my own spirit young and sympathetic.'

These thoughts, ideas and plans had been written several years before retirement. Now on the date itself he wrote, after re-reading the above:

'It was several years ago that I wrote the

above. Swiftly these years have passed, and the day of my retirement is at hand. The snows of seventy winters are on my head, but the sunshine of seventy summers is in my heart. The fading and falling leaves of seventy summers sadden my soul, but the resurrection life upspringing in flower and tree, the returning song birds, the laughing brooks, the swelling rivers, and the soft sweet winds of seventy springtimes, gladden my spirit.

'As I bend over my Bible, read and meditate, and then lift my heart to God in thanksgiving, praise and prayer, I realize the truth of Paul's words: "Though our outward man perish, the inward man is renewed day by day."'

The public meeting for Commissioner Brengle's retirement was held on October 4 and 5 as Commander Evangeline Booth had wished to conduct the event personally. Letters, eulogies, tributes came from all over the world. They came from President Hoover in the White House, from F. J. McConnell, President of the Federation Council of Churches in America, from Salvationists around the world. They came from the great and from the small. All of these were eager to express praise and thanks to God for the blessing of the Commissioner's life and service.

His reply to the President of the United States was brief, though expressive of his appreciation. But in reply to the greeting of a humble barber, whose words were mis-spelled and written in a scarcely legible handwriting, Brengle required three pages to say what he wanted to say. Thereafter he carried the barber's letter in his breast-pocket. When he showed it to friends it was with the words: 'Here's one of my most-prized earthly rewards.'

The farewell meetings on the Sunday, the luncheon with leading staff officers on the Monday, the afternoon officers' councils, where he was the chief speaker, these brought together thousands of people. Almost every man, woman or child who was there, was one who at some time had been blessed by the life, words or work of Commissioner Samuel Logan Brengle. These meetings therefore were gatherings of his spiritual children.

In a letter written three days after his retirement he said, 'Well, it took them two days to get me retired. And now I am beginning all over again. In fact, I began yesterday, preaching my first sermon at the National Convention of the Christian Alliance. Calls have been coming from the Orient (East) and the Occident (West). I already have tentative engagements which will keep me busy up to the autumn of 1933. It looks like my retirement was something of a joke, doesn't it?'

So the passing years saw Commissioner Brengle (R.) keeping busy on his programme for retirement—preaching, counselling, letter-writing. Finally, failing sight restricted the latter activity, and he courageously prepared himself for the 'abyss of physical darkness'. Despite increasing frailty, his mind and spirit remained alert. His memory was well stocked with strengthening verses of Scripture. He came serenely to the end of his earthly pilgrimage on May 20, 1936.

Commissioner Samuel Logan Brengle's name and writings are known to Salvationists and Christians the world around. His influence has spread even to places where the Army has no work. Strangers have testified to knowing the work and teachings of The Salvation Army because of his writings.

'As the stars . . . so shall thy seed be.' That promise pondered by Samuel Brengle as a little boy, had been fully fulfilled in his life. This was possible because, like Abraham, Samuel Logan Brengle fully and faithfully responded to God's call, and became in every sense God's man.